中公新書 1655

黒川祐次著

物語 ウクライナの歴史

ヨーロッパ最後の大国

中央公論新社刊

まえがき

私の学生時代であるから一九六〇年代であるが、東京で開かれたソ連の絵画の展覧会で、アルヒープ・クインジ作の『ウクライナの夕べ』という一九世紀末の作品に強く惹かれた。丘の斜面に白い漆喰《しつくい》の壁と藁《わら》葺《ぶ》き屋根の素朴な農家が二、三軒、夕日を受けてあかく輝き、ひと目で懐かしいという感情が湧きあがってくるような絵であった。それ以来、まれにウクライナという名前を聞くと、必ず脳裏にその絵がよみがえってくるようになった。ただその後とりわけウクライナについて知識を深めたということもなく、私が外務省に入って三〇年経ってもその状況はほとんどそのままであった。

一九九六年の秋、私は駐ウクライナ大使に任命された。そこで私は新任地に出発する前に、関係者や知人に挨拶回りをしたり、話を聞きに歩いた。ほとんどの人がウクライナと聞いて思い浮かべるのは、学校で習った「穀倉地帯」という言葉であった。なかにはフレデリック・フォーサイスのベストセラー『悪魔の選択』を思い出すという人も何人かいた。この小説は、一方でイタリアの商船が黒海で漂流者を救ったところ、それがウクライナ民族主義者パルチザンのリーダーであり、他方でアメリカの偵察衛星がソ連の穀倉地帯で小麦の作柄の異変を探知し、大統領がその調査を命ずるという書き出しで始まる壮大なスパイ・サスペンスである。しかし、『ウクライナの夕べ』にせよ、「穀倉地帯」にせよ、いずれにしても農業国のイメージである。私は農業国に赴任するつもりでウクライナに向かった。

実際にウクライナで暮らしてみると、確かに穀倉地帯であることに間違いはないが、ウクライナは、それだけでは片づけられない複雑で非常に懐《ふところ》の深い大国であると感ずるようになった。一体このギャップはどこから来るのだろうか。

私は、それは、ウクライナが一九九一年の独立まで自分の国をもたず、それまで何世紀もロシアやソ連の陰に隠れてしまっていたことによるのではないかと考えるようになった。ロシアに歴史がないと思う人はいない。キエフ・ルーシ公国以来の浩瀚《こうかん》な歴史の本が多数出版されている。ドストエフスキー、ゴーゴリやチャイコフスキーのロシアに文化がないという人はいないだろう。スプートニクを打ち上げた国を科学や技術がない国という人もいない。

しかしキエフ・ルーシ公国の首都は、現在のウクライナの首都キエフにあった。ゴーゴリはコサックの末裔《まつえい》で生粋《きっすい》のウクライナ人であった。チャイコフスキーも、その祖父はウクライナのコサックの出であり、チャイコフスキー自身も毎年ウクライナのカーミアンカにある妹の別荘に滞在し、その地の民謡をもとに『アンダンテ・カンタービレ』その他の名曲を作曲した。ドストエフスキーさえもその先祖はウクライナに出ているといわれている。人工衛星スプートニク打ち上げに中心的役割を果たしたコロリョフはウクライナ人であった。これだけでもわかるように、ウクライナには歴史も文化も科学技術もあるが、それはすべてロシア・ソ連の歴史、文化、科学技術として括《くく》られてしまい、その名誉はすべてロシア・ソ連に帰属してしまっていたのである。そして、ウクライナはロシア・ソ連の中での穀倉地帯としてしか世界に紹介されてこなかったのである。

ウクライナ史の権威オレスト・スブテルニーは、ウクライナ史の最大のテーマは、「国がなかったこと」だとしている。すなわち、多くの国において歴史の最大のテーマがネーション・ステート（民族国家）の獲得とその発展であるのに比し、ウクライナでは国家の枠組なしで民族がいかに生き残ったかが歴史のメーン・テーマであったというのである。

とはいえ、そのウクライナにも国家がなかったわけではない。それどころか、前述のキエフ・ルーシ公国は、一〇～一二世紀には当時のヨーロッパの大国として君臨し、その後のロシア、ウクライナ、ベラルーシの基礎を形作った。その点からすれば、ウクライナは東スラヴの本家筋ともいえる。ところが、その後モンゴルの侵攻などでキエフが衰退したのに対し、いわば分家筋のモスクワが台頭し、スラヴの中心はモスクワに移ってしまった。ルーシ（ロシア）という名前さえモスクワに取っていかれたのである。したがって自分たちの土地を表すのにウクライナという名前を新しく作らなければならなかったほどである。歴史の上でもキエフ・ルーシ公国は、ウクライナ人の国というよりは、モスクワを中心とするロシア発祥の国として捉えられるようになった。つまり、モスクワから勃興してきた国が後に大国となり、ロシアと名乗ってキエフ・ルーシを継ぐ正統の国家と称したため、ウクライナの歴史は、「国がない」民族の歴史となったのである。

「国がない」という大きなハンディキャップをもちながらも、そしてロシアという言語、文化、習慣の近似した大国を隣りにもちながらも、ウクライナはそのアイデンティティーを失わなかった。ロシアやその他の外国の支配下にありながらも、ウクライナは独自の言語、文化、習慣を育《はぐく》んでいった。コサック時代のユニークな歴史があり、またロシアに併合された後も、ウクライナはロシア史の中で経済的、文化的に重要な役割を果たしてきた。そしてその間にもウクライナのナショナリズムは高まっていった。

そしてついに一九九一年ウクライナは独立を果たした。ひとたび独立してみると、人々はヨーロッパにまだこんな大きな国が生まれる余地があったのかとあらためて驚いた。面積は日本の約一・六倍で、ヨーロッパではロシアに次ぐ第二位である。人口は五二〇〇万人（独立当時）で、ロシア、ドイツ、イギリス、イタリア、フランスに次ぎ、スペインやポーランドをはるかに凌駕している。考えてみれば、ヨーロッパで五〇〇〇万人規模の国家が成立するのは、一九世紀後半のドイツ、イタリアの統一以来の出来事である。

産業の点からいえば、まず農業が挙げられよう。ウクライナの耕地面積は日本の全面積ぐらいあるし、農業国であるフランスの耕地面積の二倍ある。二一世紀に世界に食糧危機が起こった場合には、それを救う国のひとつはウクライナだという予想さえある。また、ウクライナは単にヨーロッパの穀倉というだけでなく、ヨーロッパの大工業地帯でもある。科学技術の水準はきわめて高い。日本では、旧ソ連のハイテクはすべてロシアに継承されたと思われがちであるが、たとえばSS-19やSS-21といった大陸間弾道弾はウクライナで造られていた。

芸術・文化・スポーツの面でも水準は高い。芸術・文化の分野では、ウラディミール・ホロヴィッツ、ダヴィッド・オイストラッフ、スヴャトスラフ・リヒテルなどの音楽家、バレーのヴァーツラフ・ニジンスキー、アヴァンギャルド絵画の創始者カジミール・マレーヴィッチなどを生んでいる。スポーツでは、棒高跳びのセルゲイ・ブブカ、フィギュアスケートのオクサナ・バイユルらを生んでいる。

このように、ウクライナは確かに存在していたが、これまでは地下水脈のように何世紀も表には現れないできた。そしてソ連帝国が崩壊してようやく泉のように地表に現れてきた。現在、世界各地で「ウクライナの発見」「ウクライナの復権」ともいうべき事態が起きている。ヨーロッパやアメリカでは、ロシアとその他のヨーロッパとの間という地政学上枢要な位置にあるウクライナが独立を維持し続けることは、ヨーロッパ全体の平和と安定のためきわめて重要だと考えられている。またアメリカ、カナダではウクライナ系の移民がそれぞれ百万の単位でいることからウクライナに対する関心も高い。

ところが日本では、残念ながら独立したウクライナに対する関心はそれほど高くないように見受けられる。これは、ウクライナが旧ソ連の西端にあって日本から距離が遠いことや、日本の旧ソ連への関心がロシアに集中してしまっていることによるのであろう。加えて、これまで日本にウクライナの事情が十分紹介されてこなかったこともあるであろう。私は私自身がウクライナを「発見」したように、日本においてもウクライナが「発見」されるべきだと考えるようになった。こうして私はウクライナを紹介する本を書こうと思い立ったが、やはり、ある国なり民族に関する知見の基礎になるものは歴史であるので、ウクライナの歴史を通してこの国を紹介したいと思う。

以上がこの本を書く動機であり、読者におかれてもウクライナを発見していただきたいと願うものである。

お断りしておきたいことは、本書でウクライナ史という場合、ウクライナ民族の歴史というよりも、ウクライナの土地をめぐる歴史という観点から書いた。したがって、ウクライナ民族には入らないスキタイ民族もロシア人も、ポーランド人もウクライナの土地にかかわってくれば当然触れることになる。他方、その基本方針と外れてくるが、他国に移住したウクライナ系移民の事績についても可能な限り触れた。つまりウクライナにかかわることは何でも知りたいとの精神で執筆した。

固有名詞の表記については、原則としてウクライナ語の発音によった。ただしロシア語や英語の発音による表記がすでに定着している場合には、それに従うこととした。たとえばウクライナの首都の名はウクライナ語では「キイフ」であるが、ロシア語および英語の発音「キエフ」が慣用化しているので「キエフ」を使用した。またウクライナの中心を流れる川の名は、ウクライナ語では「ドニプロ川」であるが、慣用に従いロシア語の「ドニエプル川」を使うこととした。

本書では種々の文献を参照、引用したが、本書の性格上、長文の引用以外はいちいち出典を明示しないこととした。利用ないし引用した文献は巻末に一括して掲載したのでお許し願いたい。

最後に、本書ができ上がるまでには多数のかたがたよりご指導、ご支援、ご助言そして激励の言葉をいただいた。心より感謝申し上げる。とくに以下のかたがたにはお世話になった。かつての上司である岡崎久彦氏には本書執筆のきっかけを作っていただき、貴重なご助言をいただいた。中井和夫、アンドリー・ナコルチェフスキー、ヴァディム・レーパ各氏にはウクライナ史上の疑問点についてお教えいただいた。キエフ時代の同僚中島英臣氏には史実調査等で格別のご協力をいただいた。中平幸典、藤川鉄馬、本間勝、真殿達、大竹光治、水谷三公、伊藤哲朗、本田均、広瀬徹也の各氏からもご教示をいただき、また励ましの言葉をいただいた。キエフの大使館での同僚、西谷公明、井上みさき、白江純孝、井上律子、倉持大、岩崎薫、エレーナ・キルサノーヴァ、タラス・レーパの各氏にも種々のご協力をいただいた。中央公論新社の並木光晴、小野一雄両氏には単行本執筆がはじめての経験である私に数々のご助言をいただいた。そして妻婦佐子、長男綾人の理解と協力にも付言したい。

二〇〇一年九月　東京世田谷にて

黒川祐次

目次

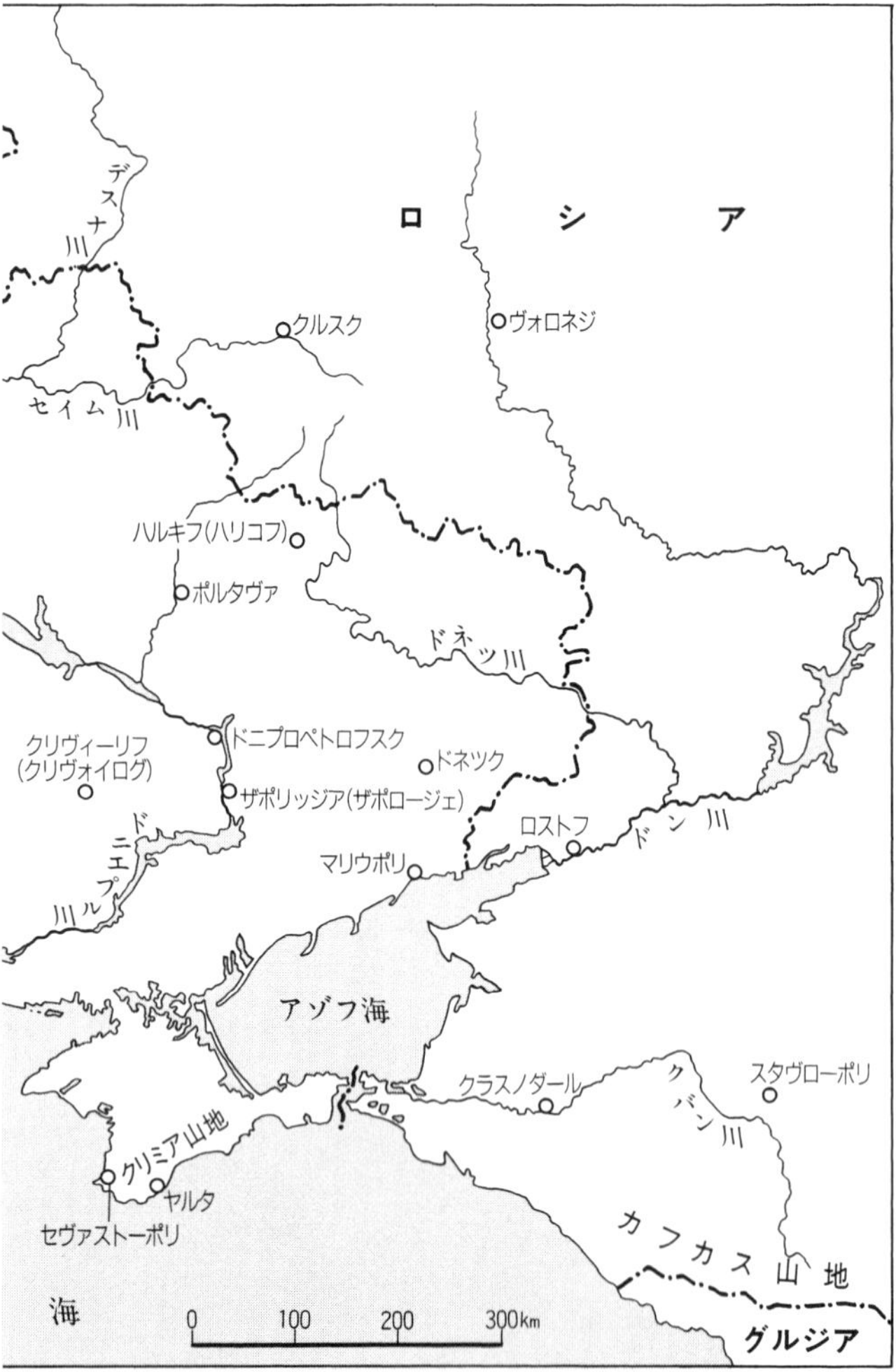
ロ シ ア
デスナ川
クルスク
ヴォロネジ
セイム川
ハルキフ(ハリコフ)
ポルタヴァ
ドネツ川
ドニプロペトロフスク
クリヴィーリフ
(クリヴォイログ)
ドネツク
ザポリッジア(ザポロージェ)
ドニエプル川
ロストフ
ドン川
マリウポリ
アゾフ海
クラスノダール
スタヴロポリ
クバン川
クリミア山地
ヤルタ
セヴァストーポリ
カフカス山地
海
0 100 200 300km
グルジア

ロシア語による表記.

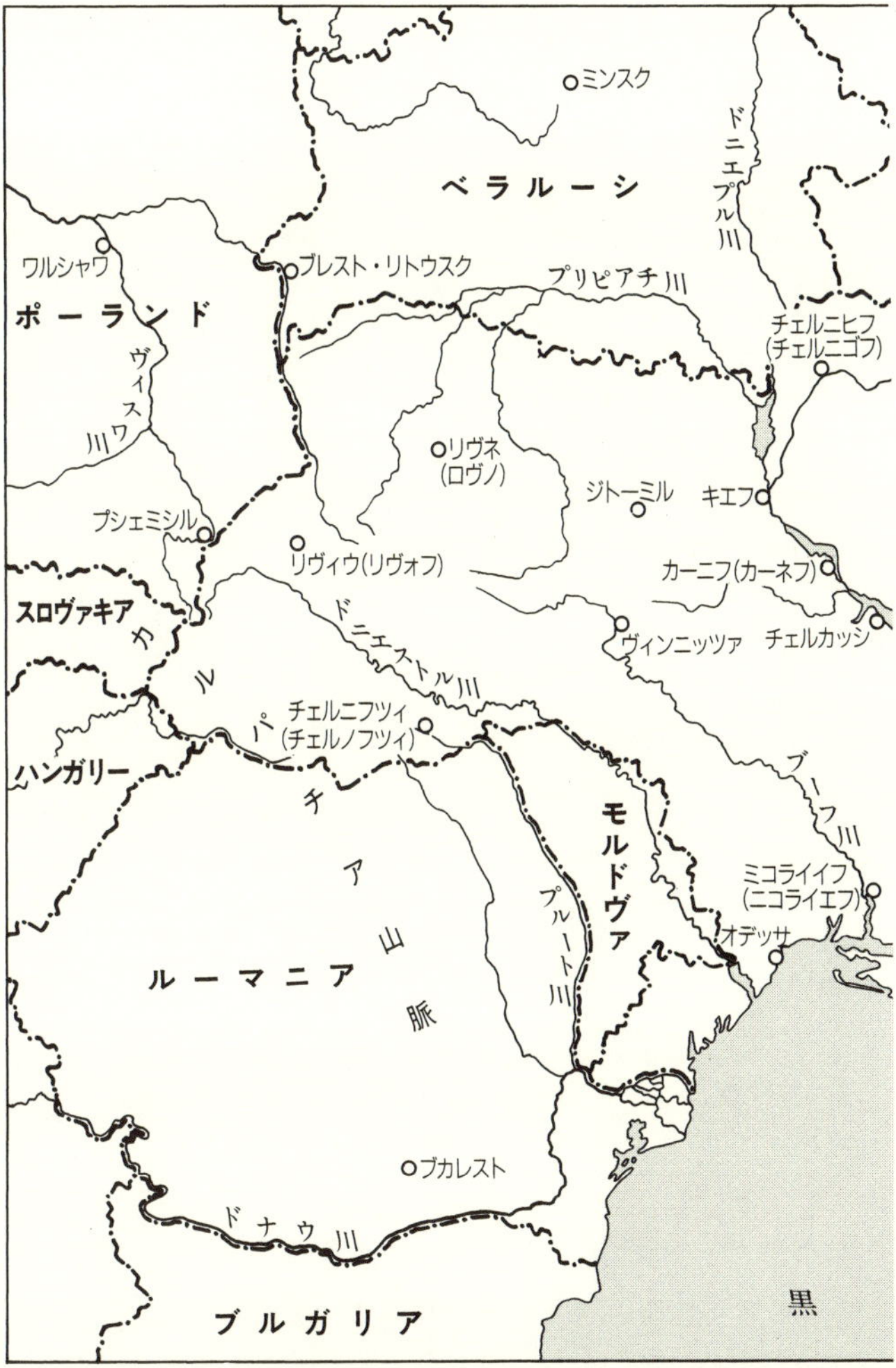

現在のウクライナ．地名表記は原則としてウクライナ語による．カッコ内は

第一章　スキタイ――騎馬と黄金の民族

スキタイの登場

ユーラシア平原の遊牧民族に特別の思い入れのあった司馬遼太郎は、『草原の記』（一九九二年）の中で次のように述べている。

古代の文明圏から二人の歴史家がでた。一人はギリシア文明圏のヘロドトス（紀元前五世紀）で、かれは『歴史』のなかで、黒海北岸の草原《ステップ》で跳梁《ちょうりょう》するスキタイという異風な文化を活写した。かれらは馬の背にじかに乗り、羊などのむれにしたがってうごき、家も移動式だった。中国文明圏から司馬遷（紀元前一四五?〜同八六?）が出、『史記』の「匈奴《きょうど》列伝」のなかでそのふしぎな生態をえがいた。

両者の観察は符《ふ》をあわせたようだった。この符によってでも、スキタイと匈奴は一つ文化だったことがまぎれもない。

このスキタイ人が活躍した黒海北岸の地、すなわち現在のウクライナの地に住んだのは、スキタイ人がはじめてではない。最初に固有名詞をもって文献に現れる民族は、キンメリア人である。紀元前八世紀頃の人であるホメロスは、『オデュッセイア』の中で黒海北岸の地を「キンメリア人の地」と呼んだ。これは同時にウクライナの地についての文献上はじめての言及でもあった。キンメリア人はインド・ヨーロッパ語系の民族といわれ、紀元前一五〇〇〜前七〇〇年頃、黒海北岸に居住していたとされる。キンメリア人については詳しくはわかっていないが、遊牧生活をしていたこと、乗馬術を身につけ、それを戦いに使ったこと、この地に鉄器時代をもたらしたことなどが推測されている。

そしてその次に現れたのがスキタイ人である。他国人が文献に書き残したスキタイの神々や個人の名前から、彼らはイラン系の民族と判明している。その故地は中央アジアだともいわれている。彼らは、紀元前七五〇〜前七〇〇年頃にカスピ海東岸から黒海東北岸に進出し、その後ドニエプル川流域で先住のキンメリア人を追い払い、その地の主《あるじ》となった。ギリシア・ローマの著述家は、彼らを「スキタイ」と呼んだ。他方、この民族についての最初の記

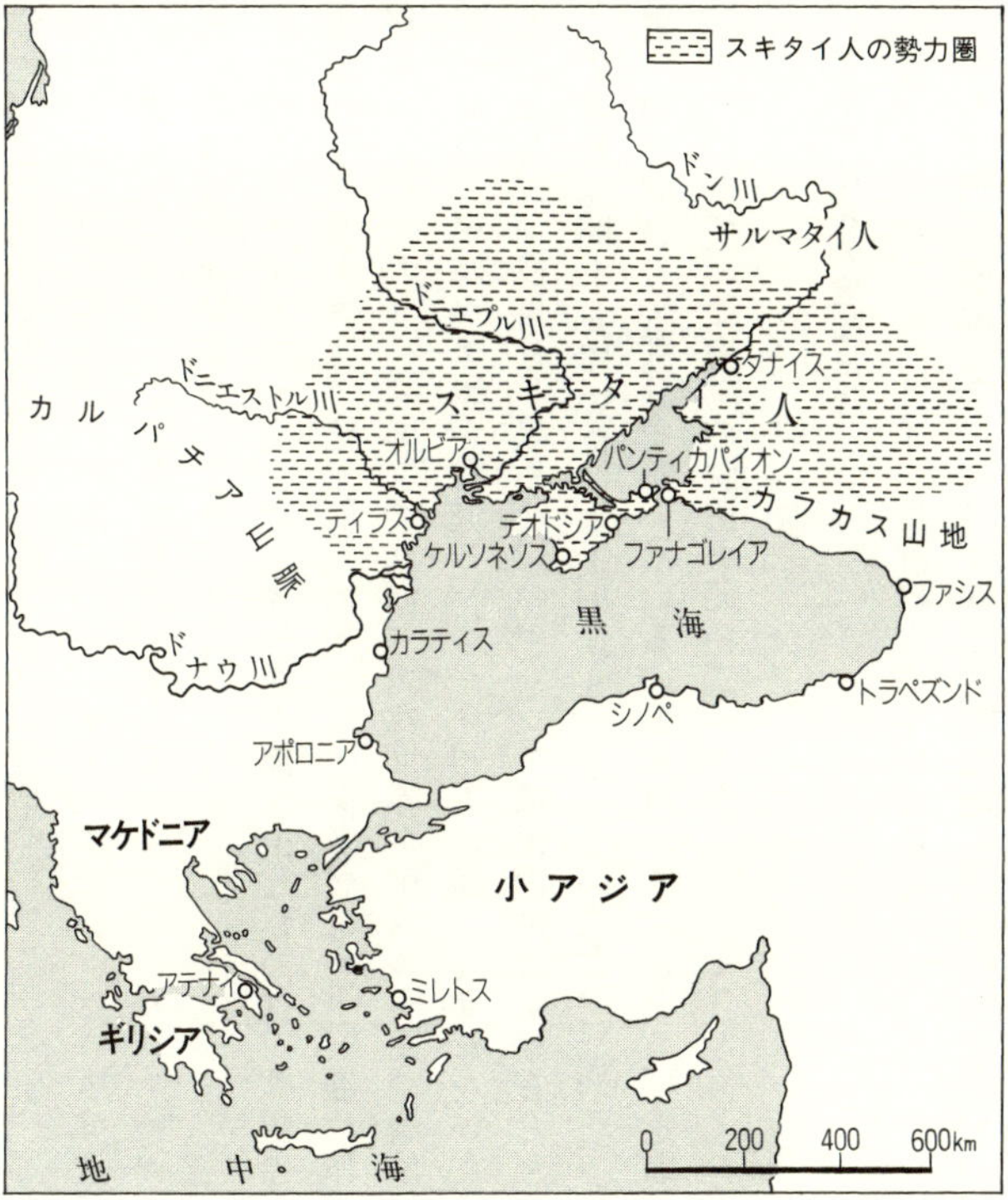

スキタイ勢力圏とギリシア植民都市.

録であるアッシリア王エサルハドン（在位前六八〇～前六六九）の年代記には「アシュグザーヤ」という別の名前で記されている。それによれば、スキタイ人は、紀元前六一二年アッシリアの首都ニネヴェを陥落させた。また小アジアからパレスチナなど現在の中東地域を席捲《せっけん》し、その強大な軍事力が恐れられた。

このスキタイ人をもっとも生き生きと描き出したのは、歴史の父と呼ばれるヘロドトスである。ヘロドトスは、紀元前五世紀末に小アジアのエーゲ海沿岸にあったギリシア人の植民都市ハリカルナッソスで生まれた。彼は世界帝国ペルシアの脅威にさらされたギリシアの市民として、ペルシア軍を撃退したスキタイ人に対して共感をいだき、彼らの強さの秘密を知ろうとした。彼自身、黒海北岸のギリシア植民都市にも滞在したことがあり、スキタイについて直接見聞もしていた。本土のギリシア人が野蛮人と蔑《さげす》んでいたスキタイ人に著書『歴史』の第四巻の大部分を割いているのもそれゆえであろう。それでは、まず、スキタイのルーツについて『歴史』の説明を聞いてみよう。

スキタイ人の建国伝説

まず最初は、スキタイ人自身によるものである。

かつて無人の境であったスキタイ人の土地に最初に生まれたのは、タルギタオスという名の男であった。彼はゼウスとドニエプル川の神の娘との間に生まれた。タルギタオスには三人の子供があった。父の死後、天から黄金製の器物（鋤《すき》、軛《くびき》、戦斧《せんぷ》、盃《さかずき》）がスキタイの地に落ちてきた。長兄が一番にこれを見つけて近づいたところ、黄金が燃え出した。次兄が近づいても同様だった。最後に末弟のコラクサイスがそばへ行くと火は消え、家へもって帰ることができた。そこで二人の兄も末弟に王権を譲ることに同意した。この黄金の器物は、コラクサイス以降の歴代の王が何にもまして大切に保管し、毎年生《い》け贄《にえ》を捧げて神のごとく敬い祀《まつ》っている。祭礼の折、野外でこの黄金の聖器を捧持することはきわめて重要な任務で、もし途中で眠ってしまった場合、その者は一年以内に死ぬとされる。そのためこの役を果たした者には、褒美として騎馬で一日間に乗り回すことができるだけの土地が与えられた。

なお、王権を正統化する黄金の鋤、軛、戦斧、盃が天から降ってきたとの話に関して、神話学者の大林太良《たりょう》氏、吉田敦彦氏らが、スキタイ神話が朝鮮半島を経由して日本まで伝播《でんぱ》した可能性を指摘し、スキタイの器物が日本の皇統を正統化する三種の神器に対応するのではないかと推測しているのは興味深い。

建国伝説異説

『歴史』には黒海北岸在住のギリシア人が伝える以下のような話も記録されている。

ギリシア神話の英雄ヘラクレスは、十二の苦行の一つとして三頭三体の怪物であるゲリュオネウスを退治し、怪物が飼っていた牛の群れを追ってギリシアに帰る途次、のちにスキタイ人が住むことになる無人の地へやって来た。折から冬季で酷寒に見舞われ、ヘラクレスはライオンの皮をひっかぶって眠った。するとその間に、車の軛から外されて草を食っていた馬が姿を消してしまった。目を覚ましたヘラクレスは、馬を探して国中を経巡った末、ある洞窟で、腰から上は娘、腰から下は蛇という人獣二性の怪物を見つけた。馬を見なかったかとヘラクレスが尋ねたところ、馬は自分の許《もと》にあるが、自分と契ってくれぬかぎり渡さぬと蛇女は答えたので、ヘラクレスはこの蛇女と契った。

ヘラクレスが蛇女の許を去る際、彼女は、自分は三人の子を身ごもっているがこの子らが成人した暁にはどうしたらよいかと尋ねた。ヘラクレスは、弓と、結び目の端に金の盃のついた帯を彼女に与え、子らが成人したら、この弓をこのように（と仕草を示して）引き絞り、またこの帯をこのように締めるものがあったならば、その子をこの国に住まわせよ、しかしこれらの業《わざ》を仕損じた子はこの国から追放せよと彼女に述べた。ちなみに、スキタイ人は胸でなく肩のあたりで弓を引いたという。

子供たちが成人したのち、上の二人は課された試練を果たせず国を去り、末子のスキティスのみがこれを果たしてこの国にとどまった。スキタイ代々の王はヘラクレスの子スキティスの後裔《こうえい》であり、また盃の故事にちなんでスキタイ人は今もなお帯に盃をつけている。

さらにヘロドトスは、スキタイ人ははじめアジアの遊牧民であったが、アラル海周辺にいたマッサゲタイ人に追われた結果、キンメリア人の住んでいた現在の地に移ったとする第三の説があるとし、彼自身はこの説にもっとも信を置いていた。

遊牧の民

スキタイ人がどのような民族でどのような社会・習慣をもっていたかは、『歴史』をはじめとする文献の解読や多数残された古墳の発掘により、ある程度推量することができる。

その第一の特徴は、遊牧生活を営んでいたということである。おそらく古代で遊牧による生活形態を最初に確立した民族であろう。遊牧は牛、羊、馬を中心としていた。

ヘロドトスは以下のように述べている。彼らは町も城塞も築かず、移動する際には幌馬車のような車に家財道具を積んで牛や馬に引かせていた。彼らがこのような生活方式を編み出したのは、スキタイの土地が牧草に富み水も豊かな平原で、多くの河川が流れているからである。とくにドニエプル川は、全世界でもエジプトのナイル川に次いで資源に富み、良質で豊かな牧場もあれば、多くの魚類を産し、その水は飲料にも適している。河岸一帯は穀物の栽培に適し、耕作の行われていないところでは草が見事に茂っている。河口のあたりでは多量の天然塩が結晶しており、また塩干魚に加工されるチョウザメを産するなど、驚くほどさまざまな産物がある。

このヘロドトスの話は、まるでエデンの園の描写のようであるが、現在もウクライナが、「ヨーロッパの穀倉」といわれていることと符合するものである。

ただし、スキタイの地に住むすべての住民が遊牧民であったわけではない。ヘロドトスも、農耕スキタイと呼ばれる集団が存在して、王族スキタイと呼ばれたスキタイの中枢集団の支配下にあったとしている。図式的にいえば、北から南へ、森林ステップに居住し農耕に従事していた農耕スキタイの集団、ステップに住む遊牧民の王族スキタイ、沿岸都市に住み商業や家内工業に従事していたギリシア人の三層に分かれていたようである。そして農耕スキタイはスラヴ人の祖先ではないかという学説もある。その根拠は、スキタイが、スキタイとは総称されていても起源を異にするかなり雑多な集団から構成されていたらしいこと、遊牧民が定住して短期間に農民に変わるのは難しいため王族スキタイが農耕スキタイに変わったとは思えないこと、スラヴ人はもともと農耕民族であるが農耕民族というものは支配者が替わっても同じ土地に長く住みつづける性質をもっていることなどである。

スキタイの社会構造や政治システムについては、彼らが文字を残していないこともあり、十分わかっていない。三人の王が分割統治し、そのうちの一人がスキタイ全体を統括する首長に選ばれたともいわれる。いずれにせよ、部族連合体ないし長老制を温存した相当ゆるやかな統治形態であったと考えられている。ヘロドトスによれば、王が死ぬと故王の側妾の一人を絞殺して葬り、さらに小姓、料理番、馬丁、侍従、馬も一緒に埋めたという。

さて、スキタイの女性については、ギリシア・ローマの著述家がほとんど言及していないこともあり、よくわかっていない。どうやら普段は幌馬車の中に閉じこもっていたようだ。ただし古墳から発掘された女性の遺体は黄金や宝石をふんだんに使った装飾品を身にまとっているが、武器、甲冑《かっちゅう》を脇において葬られていることも多い。またヘロドトスは、スキタイの東隣りの地に居住し、民族的・習慣的にもきわめて近いとされているサウロマタイ人について、「女子は敵を倒すまでは結婚を禁じられている」と記している。これらのことからアメリカの神話学者リトルトンは、スキタイの妻たちは、必要とあらば、夫の傍らで戦うことが求められていたとし、黒海周辺に住んでいたという好戦的な女人族アマゾンの伝説は、ほぼ間違いなくスキタイ文化を観察した結果生まれたものだとしている。いずれにせよ、おしゃれ好きであったと同時に気丈な女性たちであったに違いない。

騎馬に巧みで勇敢な戦士

スキタイ人の第二の特徴は、戦士としてきわめて優れていたということである。それは勇敢さを尊ぶ民族性と巧みな騎馬術の二つの面で際立っている。スキタイ人の勇敢さについては、ヘロドトス、アリストテレス（前三八四～前三二二）、ストラボン（前六四頃～前二三頃）、ルキアノス（一二〇頃～一八〇頃）などのギリシア・ローマの著述家たちがいずれも言及しているところである。

ヘロドトスによれば、スキタイ人は最初に倒した敵の血を飲む。また戦闘で殺した敵兵は、ことごとくその首級を王の許へ持参する。首級を持参しないと戦利品の分け前にあずかることができないからである。彼らは頭皮を剝《は》がし、一種の手巾《ハンカチ》を作ってそれを自分の馬勒《ばろく》（轡《くつわ》）を固定するため、馬の頭につける革ひも）に掛けて誇るのである。この手巾を一番多くもっている者が勇士とみなされる。また、スキタイ人は義兄弟の誓約を交わすときはまず酒を大盃に注ぎ、これに誓約を交わす者の血を混ぜる。血は錐《きり》で刺すか小刀で切るかして体に小さい傷をつけてとる。次に短剣、矢、戦斧、投げ槍を盃の中へ浸す。そして長い祈りを唱えた後、誓約を交わす者だけでなく立ち会った者たちも盃の中のものを飲むのである。

またルキアノスは、スキタイ人の友情の固さについて次のような挿話を残している。ある貧しいスキタイの青年が王女に求婚した。他の求婚者たちはその富を誇示したのに対し、その青年は自分には何の財産もないが、二人の信頼すべき友人をもっていると胸を張った。彼は皆よりあざけりの対象となり、王女は多くの金杯、幌馬車、家畜をもった男と結婚した。

しかし青年の二人の友人は、婿とその父親を殺し、王女を奪いとって青年に与え、友情の証《あか》しをたてた。

もっとも、スキタイ人も毅然《きぜん》としてばかりいたわけではないようで、彼らは大麻と酒に目がないとギリシア・ローマの著述家は記している。ヘロドトスによれば、スキタイ人は大麻の種子を手にもってフェルト製の幕の下にくぐり込み、その種子を焼けた石の上に投げる。熱せられた種子はくすぶり出し、やがてギリシアの蒸し風呂ではとても及ばないほどの湯気を発する。彼らはこの「蒸し風呂」で上機嫌になって大声でうなりたてる。ローマの著述家ヘシキウスは、大麻を「スキタイのお香」といっている。またロードス島のヒエロニムスは酒を飲みすぎることを「スキタイ人のように振る舞う」と形容しており、飲酒の風習は現代まで連綿と続いているようである。

スキタイ人が優れた戦士であったことの第二の理由は、その騎馬術にあった。轡は、キンメリア人のものと思われる先スキタイ時代の遺跡から出土しているので、スキタイ人が騎馬術をゼロから発明したわけではないようだが、馬に馬勒とフェルト製の鞍《くら》をつけ、フェルトないしは皮製の鐙《あぶみ》をつけていた。スキタイ人は乗馬術を高度なレベルまで高め、その後に続く多くの騎馬民族の先駆けとなった。またスキタイ人は馬上から矢を射る術に優れていた。ゴリュトスと呼ばれる弓矢を入れるケースを腰の帯から吊るす独特なスタイルは、副葬品の金細工にもしばしば表現されている。またスキタイ人はズボンの発明者とされているが、それも騎乗のための必要性から生まれたものであろう。なお、スキタイ人そのものについての記述ではないが、四世紀のローマの史家アンミアヌス・マルケリヌスは、スキタイ人と同系統の騎馬民族であるアラン族について、「若い男たちは、幼少の頃から乗馬の習慣を身につけて育ち、徒歩など卑しむべきことだとみなしている」と述べている。

スキタイ人が先住者キンメリア人を駆逐したのも、ペルシアの一部から小アジアまで席捲したのも、またペルシア帝国のダリウス大王(一世、在位前五二二〜前四八六)の遠征を阻止したのも、その騎馬による機動力と騎射による破壊力によるものであった。ダリウス大王は、先にスキタイ人がペルシアの地を侵攻したことの報復として、そしておそらくギリシア征服の前哨戦としてスキタイ征伐を思い立った(紀元前五一四年頃)。このペルシアの大軍に真正面から立ち向かっては勝算がないと考えたスキタイ軍は、正面衝突を避け、ペルシア軍より一日分の行程だけ前もって撤退しつつ、途中にある井戸や泉を埋め、地上に生えているものを根絶していった。ペルシア軍は、出現したスキタイ騎兵隊の姿を認めると、絶えず退いて行く彼らの後を追って進んだ。スキタイ側は、ペルシア軍が奥地深く入り込むと反撃に転じ、ペルシア軍の兵士が食糧を求めて出動する機をうかがっては騎兵隊をもってこれを攻撃した。このようなことを繰り返しているうちにペルシア軍は消耗し、結局撤退を余儀なくされた。

スキタイ人の強さについての評価が定まったのは、主にこのペルシア軍撃退によるものである。

なお、ここで我々が気づくのは、このユーラシア大平原ではその後二〇〇〇年以上たってもほぼ同じことが繰り返されている点である。すなわち、ナポレオンのロシア遠征（一八一二年）やナチス・ドイツのソ連への侵攻（一九四一～四五年）に対しても撤退・焦土作戦とゲリラ戦法という基本的には同じやり方が用いられている。コサックもゲリラ戦法を得意としていた。後世のロシア、ソ連、またウクライナの歴史においては、スキタイは異質な存在とされ、必ずしも自分たちの歴史とみなされていない面があるが、このように各時代を貫く共通項の存在に思いをいたすと、スキタイの時代というのもやはりこの地の歴史を構成する不可分な一部であるとの感をいだくのである。

動物意匠と黄金への偏愛

スキタイ人は単に勇猛なだけの民族ではなかった。ヘロドトスは、黒海沿岸の諸民族の中ではスキタイ人のみが知能が優れており、また黒海沿岸の人々の中で知識人として知られているのはスキタイ人のアナカルシスのみであるとして、スキタイ人を特別に評価している。アナカルシスとは、紀元前六世紀のスキタイ人の賢者のことであるが、その人格・才知はギリシアで広く知られ、鞴《ふいご》や轆轤《ろくろ》の発明者とされている。彼をアテナイのソロンら当時のギリシアの七賢人の中へ加える説もあるほどである。

現代の我々からみると、スキタイ人の特筆すべき資質は、その審美眼だろう。それはスキタイの古墳（クルガンと呼ばれる）から出土するきわめて芸術性の高い数々の埋葬品に現れている。スキタイは前四世紀頃その最盛期を迎えたが、当時の王族や貴族と思われる者の墳墓がドニエプル川の中・下流域やクリミア半島に多数残されている。これらの墳墓は、土を盛った円形の小高い丘状になっており、まるで我が国古墳時代の円墳の「先祖」かと思われるような形をしている。大きいものでは高さ二〇メートル、直径一〇〇メートルにもおよび、ユーラシアの草原に残る諸民族の墳墓としては最大規模である。多くの墳墓は荒らされたが、一部盗掘を免れたものもあり、そこから芸術的に素晴らしい副葬品の数々が発見された。

副葬品からわかるスキタイ芸術の特徴は、動物意匠と黄金への偏愛である。スキタイ人は、身を飾る装身具だけでなく、刀の鞘《さや》やゴリュトス（矢筒）、馬具などに黄金の飾り板を張りつけ、それに浮き彫り、沈み彫りなどの方法で動物を表現した。動物といってもペットや家畜を愛らしく表現するといったおとなしいものではない。ライオン、豹《ひょう》、猪《いのしし》、鷲《わし》などの野生でしかも肉食ないしはそれに近い獰猛《どうもう》な動物が多い。それにグリフォン（グリフィンともいう）という鷲の頭と翼、ライオンの胴体をもつ伝説上の動物も加わる。そしてこれらの肉食

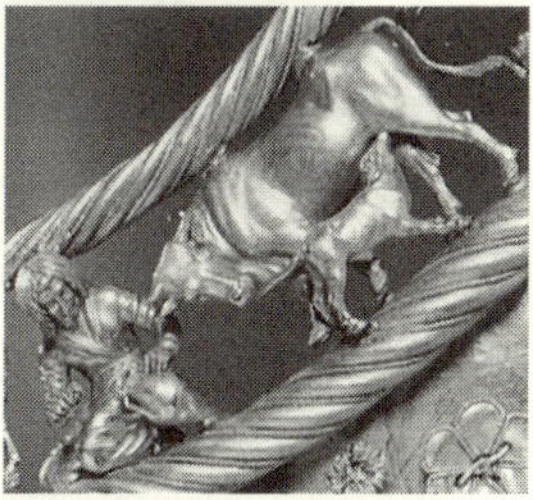

トフスタ・モヒーラ古墳から出土したスキタイの胸飾り（上）．一番内側の層に仔牛に乳を与える母牛と牧童（右），前後から馬を襲うグリフォンの図柄が見える（下）．ウクライナ国立歴史宝物博物館所蔵．

動物たちが馬や鹿などを襲って、まさに肉を食いちぎろうとしている瞬間を描いた荒々しい場面が多い。それらの場面は残酷ではあるが、その瞬間の動物たちの筋肉の緊張感、躍動感が古代の作品とは思えないほど見事に表現されている。

埋葬品の中でもとりわけ優れているのは、ウクライナ南部のオルジョニキッゼ市にある前四世紀の古墳トフスタ・モヒーラ（ロシア語名トルスタヤ・モギーラ）から発見された胸飾り（英語名ペクトラル）である。この古墳は貴族のものと推定されているが、古墳の周囲の溝から大量の動物の骨と酒を飲むための土器が出土した。おそらく葬儀の宴会の跡ではないかと思われるが、この骨の量から推測して肉の量は二五〇〇人分にもなるという。スキタイ人の気風《きっぷ》のよさがうかがえる。

この古墳も荒らされていたが、遺体とは別の場所に置かれた胸飾りは幸運にも盗掘者の目に止まらなかった。胸飾りは、金製で直径三〇センチメートル、三日月形で、鋳造、彫金、線状細工、七宝細工などさまざまな工法がほどこされている。この胸飾りは三層からなっており、一番外側は純スキタイ風で、肉食獣が馬や鹿、猪を襲っている場面が並んでいる。中層は植物を端正に図案化したギリシア風の文様が配置されている。一番内側の層は、中央に二人の戦士が毛皮の上着を縫っている場面があり、その両側に母馬が仔馬に、母牛が仔牛にそれぞれ乳を与えている場面があったり、人が羊の乳を搾っている場面などがあり、スキタイのモチーフとしてはむしろ例外的である。いずれにせよ、外側層がステップの弱肉強食の世界を動的、神秘的に描いているのに対し、内側層は村の日常生活を静的、世俗的に描いており、コントラストをなしている。

私はキエフのウクライナ国立歴史宝物博物館でこの胸飾りを見たが、作品の豪華さ、細密に至る写実性、表現の躍動感に感嘆した。この技術と芸術性は、世界最高水準のものであろう。古代ではツタンカーメン王のマスクや、ミロのヴィーナスに匹敵する人類の宝ではないかとさえ思う。

スキタイ人はなぜこのような激しい場面を好んで表現したのであろうか。経緯的にはスキタイ伝統の動物意匠と戦闘性がギリシアのリアリズムと合体して完成されたものであろう。いずれにせよ、勇猛な戦士として敵を倒すことを願うスキタイ人が、強い動物からその強さとエネルギーを授かりたいと願い、またこの場面を見て自分自身を鼓舞したものであろう。それにしても古来戦闘的な民族はいろいろあったが、肉食動物が弱い動物を襲う場面をこれほど徹底したリアリズムで描いた民族はなく、その面でもスキタイ人は世界史上きわめて特異な存在である。

黄金への偏愛については、ロシアの学者リトヴィンスキーは、黄金崇拝がインド・イラン語系の人々の世界観・宗教観と深く結びついているとしている。それによれば、古代インド・イランの神話世界では、「王―火（太陽）―黄金」の三者は不可分と考えられていた。スキタイ人もイラン系の民族とされているが、前に紹介したスキタイ建国神話で、王権の象徴となるものが天から降ってきた黄金の器物であったことにもそれが現れている。また我が国との関連でいえば、東洋史学者加藤九祚《きゅうぞう》氏は、中国で王権の象徴になるのは黄金ではなく「玉《ぎょく》」であるのに、朝鮮半島の金冠塚（韓国慶州《キョンジュ》市）、我が国の藤ノ木古墳（奈良県斑鳩《いかるが》町）から見事な黄金（または金色）の冠が発見されたことについて、これは黄金崇拝の観念が「玉の国」である中国本土を通らずに、北方草原から迂回して伝播した可能性があると指摘している。前述の三種の神器とともに、黄金が王権を象徴する点でも、はるか離れたスキタイと我が国が結びついていると想像するだけで楽しいではないか。

ギリシア世界との結びつき

黒海の周辺の地は長い間ギリシア本土にとっては地の果てと考えられていた。ギリシア神話でもこの地は未開の荒々しい土地として登場する。神話の英雄イアーソンは、冒険船アルゴー号に乗って黒海東岸のコルキスに金の羊毛を探し求めに行き、艱難《かんなん》の末、同地の王女メディアの助けを得て金羊毛をもち帰った。また人類に火を与えてゼウスの怒りをかったプロメテウスは罰としてカフカスの山に縛りつけられ、ヘラクレスに救助されるまで苦しむことになる。

同じくギリシア神話の『タウリス（またはタウリケ）のイフィゲネイア』においても、タウリス（現在のクリミアの南岸）は、略奪を生活の手段にしている野蛮な人の住む土地として描かれた。

ミケーネ王アガメムノンは、ギリシア軍を率いてトロイ戦争に出発しようとしたが、アルテミス神の怒りをかって順風を得られなかった。そのため彼は娘のイフィゲネイアを生け贄にせざるをえなかった。しかし最後の瞬間に彼女を憐れんだ女神アルテミスによって命を救われ、クリミア半島の海岸タウリスに運ばれた。彼女はそこのアルテミス神殿の女祭司となり、異国の旅人を神の生け贄にする役をつとめていた。そこへたまたま同地に来て捕まり、生け贄にされようとしていた弟のオレステスと再会し、アテナ女神の助けでともにギリシアに逃げ帰るという物語である。

ちなみに、この話は古代ギリシア三大悲劇作家の一人エウリピデスの作品となり、また後代ではラシーヌやゲーテがそれをモチーフに作品を書いている。ドイツのグルックもオペラの傑作『トーリードのイフィジェニー』を作曲している（一七七九年オペラ座初演）。

しかし神話時代から歴史時代に入り、黒海沿岸はギリシア人にとり身近なものになった。黒海沿岸やクリミア半島は地中海性気候で住みやすいこともあり、紀元前七世紀頃より小アジアのギリシア人がこの地域の沿岸に植民都市群を建設した。たびたび引用したヘロドトスは一時ブーフ川河口のオルビアに住んでいた。そして草原の民スキタイ人と海の民ギリシア人の間には交易による補完関係が成立していた。前述のようにスキタイの地は肥沃であり、スキタイの支配層は農業に従事する人々を支配下においていた。他方ギリシア人の主食はパンであったが、ギリシア本土では小麦が不足していた。このような理由からスキタイの地はギリシア本土の「パン籠《かご》」になった。紀元前四世紀のアテナイでは輸入穀物の半分がアゾフ海沿岸からのものであった。穀物の他には魚や家畜、皮革、蜂蜜それに奴隷もギリシアに売られた。代わりにスキタイ側はギリシア人から壺などの家財道具、織物、装飾品、葡萄酒、オリーヴ油などを買った。スキタイの支配層はこの交易によってきわめて豊かになった。その結果が前述のスキタイの大規模な古墳であり、またそれに収められた黄金製で極度に洗練された副葬品の数々である。

当初はギリシアの植民都市であった黒海北岸の諸都市では、相互に連帯が進んで自立傾向が高まり、紀元前五世紀前半にはクリミア半島でアゾフ海から黒海への入口を扼《やく》するパンティカパイオンを中心にボスポロス王国が成立し、ギリシア本土から独立した。そして紀元前四世紀から紀元前二世紀にかけ黒海北岸とギリシア本土の交易の中継地として、また金細工などの家内工業の拠点として栄えた。しかし紀元前六三年、同王国はローマの支配下に入った。

スキタイの滅亡

スキタイ人はギリシアの風に染まることを長年拒否しつづけたが、それでもギリシアとの交易により富が蓄積するにつれ、墳墓の副葬品にみられるように贅沢になり、また少しずつ定住する者も現れるなどして次第に尚武の風を失っていった。決定的であったのは、サルマタイ人（またはサウロマタイ人、あるいはサルマート人）がスキタイの地に少しずつ侵入してきたことである。サルマタイ人は、スキタイと同じくイラン系で、紀元前四世紀に中央アジア方面よりスキタイの地の東に移動してきた。そして紀元前二世紀にはドニエプル川流域からスキタイ人を駆逐していった。スキタイ人は追われてクリミア半島に閉じ込められることとなり、同半島でボスポロス王国と争いながらも生き延びていたが、紀元三世紀半ばのゴート人のクリミア侵入により滅亡し、歴史の舞台から完全に消え去った。しかし紀元前七世紀〜前二世紀の約五〇〇年の長きにわたり黒海北岸の広大な地を支配して「パクス・スキティカ」（スキタイの平和）といわれる秩序を維持したことは特筆されるべきであろう。

サルマタイ人は、ロクソラニ、アラン、アントなどの支族を含めると紀元後三世紀まで栄えた。彼らは、スキタイ人とよく似た風俗習慣をもっていたが、スキタイ人のように大きな墳墓は造らなかったし、またスキタイ人ほど素晴らしい副葬品を残さなかった。何よりもヘロドトスのような「語り部」をもたなかったので、五〇〇年もの長期間この地に覇を唱えたのにもかかわらず後世への印象はきわめて薄い。なお現在カフカスに居住している少数民族オセット人（またはオセチア人）はサルマタイ人の支族アラン人の末裔といわれており、その神話にはヘロドトスが記述したスキタイの信仰・風習と多くの共通点があるとされている。

サルマタイの後もゲルマン系のゴート族（紀元三世紀半ば〜四世紀末）、匈奴の末裔ともいわれるフン族（四世紀後半〜六世紀半ば）、アヴァール族（六世紀半ば）、ブルガール族（六世紀末〜七世紀半ば）などの諸民族が相次いでこの地に侵入し、支配したが、彼らはスキタイ人のように都市との交易に関心を示さなかった。それゆえであろうか、彼らは文化的に意味のある遺産を後世に残すことはなかった。

ステップが遊牧民族によって蹂躙《じゅうりん》されている間、黒海沿岸の覇者はコンスタンティノープル（現在のイスタンブール）を首都とする東ローマ帝国（ビザンツ帝国）であった。とくに六世紀半ばのユスティニアヌス大帝（在位五二七〜五六五）の時代には、ケルソネソス（現在のセヴァストーポリ近郊）を中心にビザンツ文化が栄えた。なお、ケルソネソスの遺跡は現在のウクライナの紙幣の図柄にもなっており、新生ウクライナの誇るべき歴史遺産となっている。

第二章　キエフ・ルーシ——ヨーロッパの大国

キエフ・ルーシは誰のものか

公国とか大公国というと、王国になるには満たない小国を連想しがちである。しかし、本章のテーマであるキエフ・ルーシ公国は、中世ヨーロッパに燦然《さんぜん》と輝く大国であった。最盛期のヴォロディーミル聖公の時代には、ヨーロッパ最大の版図を誇り、彼の息子のヤロスラフ賢公は、自分の娘たちをフランス、ノルウェー、ハンガリーの王に嫁がせるだけの力をもち、「ヨーロッパの義父」といわれるほどであった。

キエフ公国の君主は「クニャージ」といわれた。この語は語源からは英語の「キング」、ドイツ語の「ケーニヒ」、スウェーデン語の「コヌング」に相当する語であるといわれるものの、時がたつにつれてクニャージの息子たちやその子孫がすべてクニャージと称するようになり、その価値がプリンスまたは公爵並みに下落してしまった。そして後世になると、クニャージの治める国ということで、キエフ国も公国というランクが一段下の訳語をつけられることになった。本来はキエフ・ルーシ王国といったほうが実態から見て公平であると思われ、現にウクライナの民族主義的色彩の濃い史書には王国と称するものもあるが、本書では慣例に従いキエフ・ルーシ公国（ないし大公国）と呼ぶことにする。

また「キエフ・ルーシ」という呼び方についても、当時は単に「ルーシ」とのみ呼ばれていたので、本書でも本当は「ルーシ（大）公国」と呼びたいところである。ところがその後ルーシより派生した「ロシア」が別の国家を指す言葉として使われるようになり、そのロシアとの混同を避けるため、後世になって「キエフを都とするルーシ」という意味でキエフ・ルーシと呼ぶことが慣例となった。したがって残念ではあるが本書もこの慣例に従う。

さて、このキエフ・ルーシ公国はこれまでロシア（ソ連）史の文脈の中でとらえられてきた。ロシア（ソ連）は大国であり、ウクライナは独立さえしていなかったから、それはある意味でやむをえなかった。しかしウクライナがロシアとは別個の国として独立してみると、あらためてキエフ・ルーシは誰のものかという問題が生じてくる。すなわちそれは、ロシアかウクライナかどちらの歴史に属するものか、キエフ・ルーシ公国の直系の後継者はロシアかウクライナかという問題である。

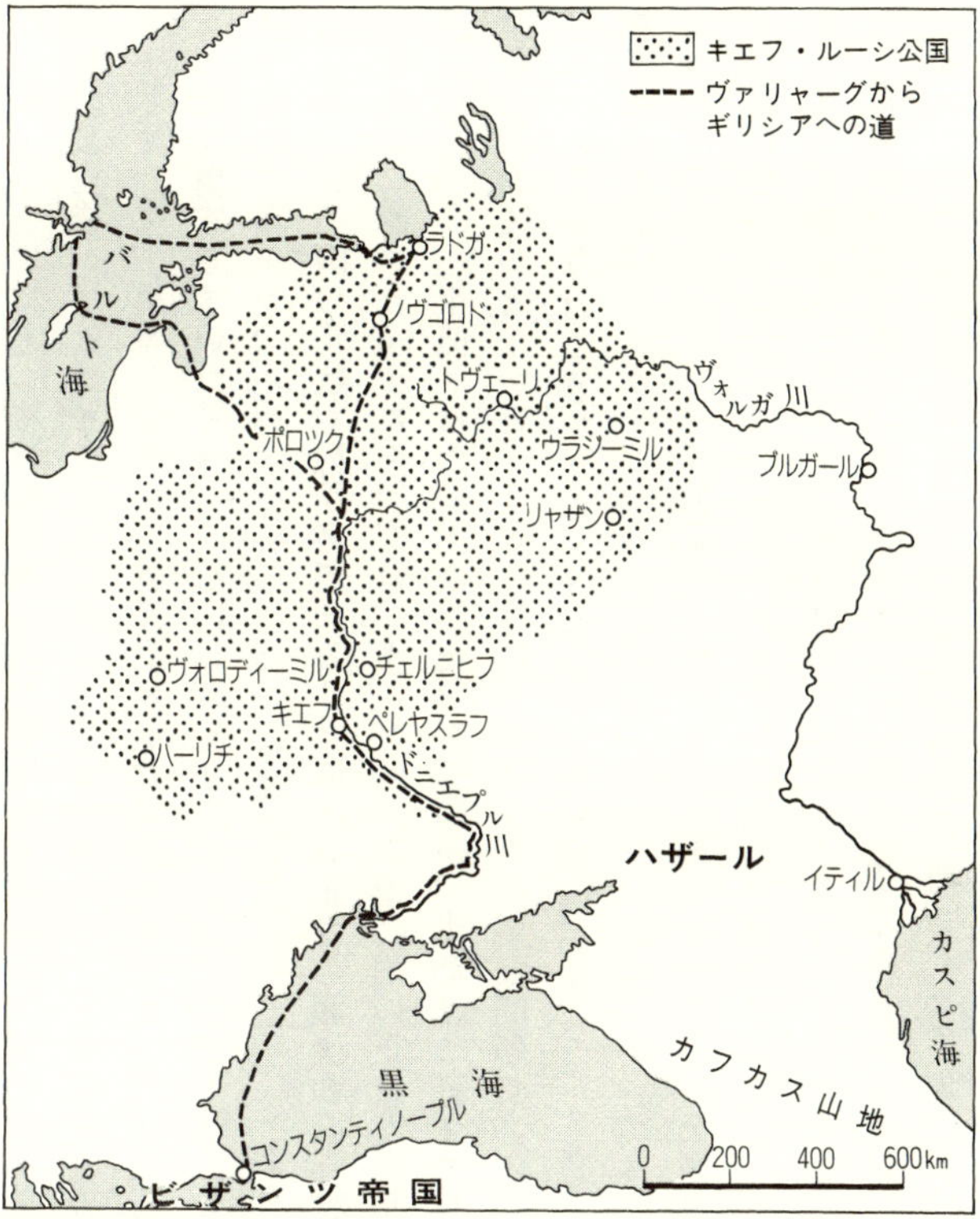

10世紀のキエフ・ルーシ公国.

これはロシアにとっては解決済みの問題である。ロシア側の言い分はこうである。キエフ公国の滅亡後、ウクライナの地はリトアニアやポーランドの領土となり、国そのものが消滅してしまって、継承しようにも継承者がいなくなってしまった。これに対し、キエフ・ルーシ公国を構成していたモスクワ公国は断絶することなく存続して、キエフ・ルーシ公国の制度と文化を継承し、その後のロシア帝国に発展していった。これからみてもロシアがキエフ・ルーシ公国の正統な継承者であることにはいまさら議論の余地はない。

しかし、ウクライナにとっては、キエフ・ルーシ公国の正統な継承者であるかどうかは、自国が一〇〇〇年前からの栄光の歴史をもつ国か、またはこれまでロシアの一地方であった単なる新興国かどうかという国の格にも関係する重要な問題である。ウクライナのナショナリストの言い分はこうである。モスクワを含む当時のキエフ・ルーシ公国の東北地方は民族・言語も違い、ようやく一六世紀になってフィン語に代わってスラヴ語が使われるようになったほどであった。一五世紀のモスクワは、キエフ・ルーシ公国の支配下にあった非スラヴ諸部族の連合体であり、キエフ・ルーシ公国の後継者とはとても言いがたい。また過酷な専制中央集権のロシア・ソ連のシステムはキエフ・ルーシ公国のシステムとはまったく異なり、別系統の国である。キエフ・ルーシ公国の政治・社会・文化は、モンゴルによるキエフ破壊（一二四〇年）後も一世紀にわたって現在の西ウクライナの地に栄えたハーリチ・ヴォルイニ公国に継承された。

いずれに分があるかはさておき、それではキエフ・ルーシ公国はどのような国であったか見ていくことにしよう。

スラヴ人の登場

スラヴ人は不思議な民族である。多くの民族や国家はその武力により興り、広がった。ところがスラヴ人に限っては、少なくともその初期の時代には強大な武力をもっていたという記録がない。それにもかかわらずスラヴ人は、東ヨーロッパに静かに広まり、気がついたときにはその地の主要民族になっていた。他に軍事的に強い民族がいなかったわけではない。それどころか、スラヴ人より武力の勝った幾多の遊牧民族がいながら、そのほとんどはスラヴ人に吸収されてしまい、結局残ったのはスラヴ諸族であった。

このようにスラヴ人は目立たない形で歴史に登場したため、その起源や故地については必ずしも明確でない。前章で触れたようにスキタイを構成していた農耕集団や、サルマタイ人と深いかかわりのあるアント人がスラヴの先祖だとする説もある。いずれにせよ現在のヨーロッパを構成するラテン、ゲルマン、スラヴの三大民族のうちでは歴史に登場してくる時期がもっとも遅く、文献上に現れるのは六世紀である。また通説は、スラヴ人の故地を、南はカルパチア山脈、西はオーデル川、北はプリピアチ川、東はドニエプル川に囲まれた地域、すなわち現在のウクライナ西部とポーランド東部に求めている。スラヴ人は七世紀はじめよりこの地域からゆっくりと平和裏に、そして全方向に広がっていった。しかも、他の民族がその故地を離れて移動したのとは違い、故地を離れることなく広がった。これは、スラヴ人が遊牧や狩猟の民でなく農耕を主とした民族であったことが大きい。

スラヴ人の中でもキエフ・ルーシを形成したのは東スラヴ人であるが、この東スラヴ人が現在のロシア人、ウクライナ人およびベラルーシ人の先祖となる。東スラヴ人の居住地は、遺跡からすると四～二〇戸の丸太小屋からできた小さな村が二～三キロメートルごとに点在するというものであったらしい。そしてそのような村が集まって氏族社会ができていたと想像される。当初は農業中心で副次的に牧畜、養蜂、狩猟、漁労を営んでおり、交易は発達していなかった。それが八世紀になってイスラム教徒のハザール商人がこの地へ入ってくるに従い、事態は一変した。ハザール人から布、金属、装飾品などを買い、彼らに蜂蜜、蜜蠟《みつろう》、毛皮、奴隷などを売る交易が盛んになった。こうして東スラヴ人の社会にも商品経済が入り込み、より明瞭な政治組織が形成されてくる。また有力な指導者も現れてきた。その文献上の最初のものが、一二世紀の初頭に編纂された『原初年代記』に現れるキエフの町の創設にかかわる伝説である。

『原初年代記』は、キエフ・ルーシ公国の建国からその繁栄と衰退までを扱った最初の歴史書である。同年代記はその書き出しの言葉によって『過ぎし年月の物語』ともいわれるが、歴史書であると同時に、その生き生きとした描写によってロシア、ウクライナ、ベラルーシを含む東スラヴ世界の最初の古典文学とされている。

さて同年代記によれば以下のとおりである。東スラヴ人の中でキエフ周辺に住んでいたのはポリャーネ氏族であった。そこに三人の兄弟、キー、シチェク、ホリフと一人の妹ルイベジがいた。キーはポリャーネ氏族の長であった。そして彼らは町を作り、長兄の名前にちなんでキエフと名づけた。これがキエフの始まりである。キーはビザンツ帝国の首都コンスタンティノープルにも赴き、そこでビザンツ皇帝から歓待されたという。年代記はキエフ建設の時代を記していないが、六世紀後半のことと推測されている。なお現在キエフ市のドニエプル川沿いの公園には、この三兄弟と妹の群像が立っている。ソ連時代に作られたものだが、芸術的にも素晴らしい出来栄えであり、市の象徴にもなっている。結婚式のシーズンには新婚

舟に乗る三兄弟と妹の像.

カップルがよく花束を捧げているのを見ることができる。

ハザール可汗国

キエフ・ルーシ公国は東スラヴ人の居住地域に建設されたが、その触媒的役割を果たしたのがハザール人と北欧からのヴァリャーグ人（ヴァイキング）であった。まずハザール人から見てみよう。ハザール人はもともとトルコ系の遊牧民族で、六世紀半ば以降ヨーロッパ東部に出現した。一時は中央アジアに覇を唱えた西突厥《とっけつ》の宗主権の下にあったが、七世紀半ば西突厥が衰えるとともに独立し、ハザール可汗国を興した。ハザール可汗国はカスピ海北岸から黒海沿岸を支配下に置き、七世紀半ばから九世紀半ばの最盛時にはビザンツ帝国、イスラム帝国と肩を並べる大国となった。ハザール帝国と呼ぶ史家もいる。また、カスピ海は当時「ハザールの海」と呼ばれた。

ハザールは三つの点で世界史に足跡を残した。第一に、九世紀のはじめ、短期間ではあるが、国の宗教としてユダヤ教を採用したことである。紀元後の世界の歴史においてユダヤ教を国教とした国は唯一ハザールしかない。しかもアジア系の民族が作った国であるので一層ユニークである。そのため後世のヨーロッパ人はこの国にロマンティックな関心をいだき、東欧のユダヤ人の先祖はハザール人だとの伝説を生んだ。

第二に、ハザールはカフカス方面から侵入してきた新興イスラム帝国と約一世紀にわたり戦い、イスラムが東からヨーロッパへ侵入するのを食い止めたことである。キリスト教世界の学者の中には、これをフランク王国のトゥール・ポワティエの戦い（七三二年）にも比肩する歴史的な功績とする者もいる。さらにハザールはヨーロッパから見て東からの遊牧民の新たな侵入を防ぐ防波堤の役目をも果たした。この「パクス・ハザリカ」（ハザールの平和）の下で東スラヴ人は歴史に登場するまで力を養ったのである。

第三に、ハザール人はもともと戦闘的な遊牧民であったが、ハザールの地がユーラシア平原の東西の交易路（シルクロード）と、アラブとヨーロッパ中部を結ぶ南北の交易路の交差点にあたっていることから、次第に通商を保護し、戦争よりも外交を重視する国家となっていったことである。かくしてハザールは交易路を積極的に保護する世界史上最初の遊牧民族国家となった。そして通商により国家が富むという模範をキエフ・ルーシ公国に示すこととなった。キエフの町もハザールの交易の拠点として発展してきたと考えられている。

このように栄えたハザール可汗国も一〇世紀頃から新たな遊牧民やキエフ・ルーシ公国の攻撃を受けて衰退していった。ハザールの名が文献に最後に現れるのは一〇七五年のことであり、その頃滅亡したと思われる。

キエフ・ルーシの建国

ハザールがキエフ・ルーシ建国の土壌を整備したとすれば、東スラヴ人の地に実際に国家を樹立したのは北欧から来たヴァリャーグ人であった。

八〜一一世紀のスカンディナヴィアでは理由不明の人口爆発が起こり、人々は海を越えて四方に進出した。ヴァイキングの時代である。スカンディナヴィアのスウェーデン人は、東スラヴ人から「ヴァリャーグ人」(またはヴァリャーギ)と呼ばれたので、本書でもそれに従う。ヴァリャーグ人は南東へ向かった。彼らは武力に裏づけられた進取の気性と商人の才能をもっていた。いわば冒険商人である。

ヴァリャーグ人は最初バルト海沿岸に進出し、次第に現在のサンクト・ペテルブルグの地域に交易の拠点を兼ねた要塞を築いていった。彼らは川の利用がうまかった。東スラヴ人の地は高い山がないため川の勾配が小さく、船の航行に便利であり、川と川の間も船を皆で背負って移動することが比較的たやすい。ヴァリャーグ人はハザール可汗国、イスラム帝国、ビザンツ帝国などとの交易の利益を求め、川に沿って南下していった。最初はヴォルガ川を下ってカスピ海に達するルートが使われた。後には北方の町ノヴゴロドからドニエプル川上流に行き、ドニエプル川を下って黒海に出、海路ビザンツ帝国の首都コンスタンティノープルに至るルートが確立された。それが「ヴァリャーグからギリシアへの道」といわれる「ドル箱」ルートとなった。

一〇世紀のアラブの作家イブン・ルスターは彼らについて次のように記述している。

彼らは土地を耕さず、スラブ人の土地から得ることができるものに頼って生活している。……彼らの唯一の仕事は黒貂《てん》の毛皮、リスの毛皮、その他の毛皮の商いであり、この商いによって得た金を懐にしまうのである。……船で旅をし、戦争をし、ものすごく勇敢で、反逆的で、風采がよく、そして身なりが立派であった。……武器で護身することなしには用便のためにも敢えて外へは出ていかない、という不安全さと不信の中で生きていた。

（ジョーンズ著『ヴァイキングの歴史』）

それでは主に『原初年代記』にしたがってキエフ・ルーシ建国の経緯をたどってみよう。ノヴゴロドの地域の東スラヴ人はヴァリャーグ人に貢ぎ物を納めていたが、いったんはヴァリャーグ人を海の向こうに追い払い自治を始めた。しかし内紛が起こって収まりがつかないので、かつて追い払ったルーシ（その地のヴァリャーグ人は「ルーシ」と自称していた）に使者を送って、公となって自分たちの地を治めてほしいと要請した。そこでルーシの首長リューリク（?～八七九）が一族を引き連れて海を渡ってノヴゴロドに到来し、八六二年その地の公（ノヴゴロド公）となった。彼らから「ルーシ」という国の呼び名が生じた。そしてリューリクは、キエフ・ルーシ公国やその後のロシアを治めるリューリク王朝の祖となった。

リューリクの家臣で貴族のアスコルドとディルの兄弟は、リューリクの許しを得てコンスタンティノープルへ向かった。彼らはドニエプル川を下って進む通りすがりに小さな町が丘の上にあるのを見つけた。人に尋ねると、これはキー三兄弟が作った町だが、今はハザール可汗国に貢ぎ物を払っていると答えた。アスコルドとディルは町を乗っ取り、自分たちでキエフの町とポリャーネ氏族の国を治め始めた。

ノヴゴロドではリューリクが死んで息子のイホル（ロシア語名イーゴリ、スカンディナヴィア語名イングヴァール）が幼かったため、一族のオレフ（ロシア語名オレーグ、スカンディナヴィア語名ヘルギ）が後見となった。八八二年、オレフはアスコルド、ディル兄弟を滅ぼし、キエフ公となった（公としての在位八八二〜九一二）。オレフは近隣の諸部族を従属させ、ハザール可汗国への貢納をやめさせた。また九〇七年オレフは四〇人乗りの船二〇〇〇隻を率いてコンスタンティノープルを攻め、ビザンツ皇帝との間でルーシの商人を優遇する有利な条約を結ぶことに成功した。オレフは都をノヴゴロドからキエフに移し、キエフからノヴゴロドに至る広大な地を支配し、またビザンツ帝国からも恐れられる王国を建設した。オレフこそが実質的にキエフ・ルーシ公国の創始者といってもよいであろう。

九一二年オレフの死によりリューリクの子イホル（在位九一二〜九四五）が公位につき、再びコンスタンティノープルを攻めるなど勢力の拡大に努めたが、それほど優れた君主ではなかったようだ。当時のキエフ・ルーシ公国には組織的な徴税システムがなかったので、公自らが各氏族のところへ行って貢ぎ物を上納させていた。ところがイホルは同じスラヴ系のドレヴリャーネ氏族のところに貢ぎ物を取りに行き逆に彼らに殺されてしまった。

イホルの妻オリハ（ロシア語名オリガ、スカンディナヴィア語名ヘルガ、?〜九六九）は、意志の強さと賢明さを兼ね備えた女性であり、後のロシア史・ウクライナ史にしばしば現れる女傑の先駆けともいうべき存在であった。彼女は息子のスヴャトスラフが幼かったためその後見をつとめたが、事実上彼女がキエフ公であった。彼女はさまざまな策略を用いてドレヴリャーネ氏族に対し夫の復讐をした。船で来たドレヴリャーネの使者を船ごと穴に埋めたり、また別な使者を風呂に閉じ込めて焼き殺したり、さらには宴席に招き、酒に酔わせて殺したりした。

当時キエフ・ルーシ公国の地では昔ながらのアニミズム的な多神教が支配的であったが、オリハはキリスト教に関心をもち、九五七年コンスタンティノープルに赴いて洗礼を受けた。次のような挿話が残っている。オリハがコンスタンティノープルに着くと、ビザンツ皇帝は彼女が非常に美しく聡明であるので彼女に求婚した。オリハは、「私は異教徒です。もしあなたが私に洗礼を受けさせようとするなら自分で私に洗礼を授けてください。そうでなければ私は洗礼を受けません」と言った。そこで皇帝は総主教とともにオリハに洗礼を授けた。洗礼後に皇帝があらためて妻に迎えたいと言ったところ、彼女は、「私に自ら洗礼を授け、娘と呼びながら私を娶《めと》ろうとするのはいかがでしょうか。キリスト教にはそのような掟《おきて》はありません。あなた自身知っていることではありませんか」と答えた。皇帝は、「私を見事に欺《あざむ》いたな、オリハよ」と感嘆し、多くの金銀、錦と種々の贈り物を与え、自分の娘と呼んで彼女を帰らせた。彼女はキエフ公の身内で最初のキリスト教徒となった。後に聖オリハと呼ばれ、ウクライナとロシアで最初の聖人となった。

後を継いだ息子のスヴャトスラフ(在位九四五~九七二)は、政治家というより武人であった。彼はヴォルガ河口付近にあったハザール可汗国の都イティルを破壊し、事実上同国を滅ぼした。またバルカン半島でブルガール王国やビザンツ帝国とも戦った。そのため彼は征服公とも呼ばれる。彼についてビザンツ帝国の歴史家レオン・ディアコノスは、「熱しやすく、大胆で、真摯《しんし》かつ行動的である」と評し、皇帝と会談した際のスヴャトスラフについて次のように記録している。

彼は中背――高すぎもしなければ低すぎもしない――であった。まゆ毛は濃く、目は青く、獅子鼻であった。あご鬚は剃っていたが、口鬚は長く毛深かった。その氏族の高貴な身分である印として、片側のひとかたまりの頭髪を除いて頭は剃ってあった。彼の首は太く、肩幅は広く、全体の体形は実に見事であった。……彼の白の衣裳は、清潔である点を除けば、部下の衣裳と大して違うものではなかった。（『ヴァイキングの歴史』）

ちなみに、この髪の剃り方は後世のコサックにも引き継がれている。

九七二年スヴャトスラフは、援軍を引き連れてくるためドナウ河畔からキエフに戻ろうとした途次、遊牧民のペチェネグ人の奇襲にあい命を落とした。この奇襲はビザンツ帝国とペチェネグの結託によるといわれている。ペチェネグの首領は彼の頭蓋骨に金を塗り、杯を作ってそれで飲んだという。ウクライナの歴史家フルシェフスキーは、スヴャトスラフを「王冠をかぶったコサック」と評している。彼は勇敢で騎士道精神に満ちていたが、攻撃一本槍で守りに弱かった。

なお、これまでキエフ・ルーシの公たちは、彼らの発祥の地の言葉であるスカンディナヴィア語系の名前を称していたが、スヴャトスラフ以降はスラヴ語系の名前を称するようになる。これは彼らが、スラヴ人に同化していった過程を示すものと思われる。ここでもスラヴ人が他を同化吸収していく強い力をもっていることがわかる。

ヴォロディーミル聖公とヤロスラフ賢公

キエフ・ルーシ公国の継承の方式は、キエフの公（大公）が息子たちを地方の公（知事）として各地に配し、大公が死ぬとその長男ではなく大公の次の弟が継ぐという兄弟相続が原則であった。しかし同時に父子相続も行われており、この継承方式の中途半端さが代替わりごとに兄弟間、親族間の争いを呼び、結局これがキエフ・ルーシ公国の混乱と衰退を招く大きな原因となる。

そしてスヴャトスラフ征服公の死後、この最初の兄弟間の争いが起こった。征服公には三人の男子があり、長男ヤロポルクはキエフ公を継ぎ、次男オレフはドレヴリャーネ公に、三男ヴォロディーミル（ロシア語名ウラジーミル）はノヴゴロド公となった。長兄ヤロポルクが次兄オレフを殺したことに身の危険を感じたヴォロディーミルはスカンディナヴィアに逃げ、ヴァリャーグ人の援軍を得、その力をもってヤロポルクを倒し、キエフ公としてルーシ全体を支配した（在位九七八〜一〇一五）。なおキエフの公でキエフ・ルーシ国全体の長となる者は、他の地方の公と区別する意味で一一世紀からキエフ大公と呼ばれるようになっていったので、本書でもこれからはキエフ大公と表記していくこととしたい。

ヴォロディーミルは各地を征服し、バルト海、黒海、アゾフ海、ヴォルガ川、カルパチア山脈に広がる当時ヨーロッパ最大の版図をもつ国を作り上げた。こうした実績からヴォロディーミルは、「大ヴォロディーミル」とも、後述のようにキリスト教を国教にしたことから「聖公」とも呼ばれるようになった。

ヴォロディーミルの死後、再び兄弟間の争いが起こった。息子の一人でノヴゴロド公であったヤロスラフは、父と同じようにヴァリャーグ人の援軍を得て南進し、キエフ大公となった（在位一〇一九～五四）。ヤロスラフは、遊牧民ペチェネグ人を撃退するなどの軍事的な成果もあげたが、彼の真骨頂は内政および外交の面であった。

ヤロスラフ賢公．

内政面では、ヤロスラフは慣習法を「ルスカ・プラウダ」（ルーシの法）として法典化した。彼は既存の法の収録だけでなく改正も行った。復讐による殺人を禁じ、死刑を廃止して罰金に変えたことがその例である。教育にも熱心で、書物を愛し、彼が建てたソフィア聖堂（一〇三七年）に図書館を設け、キリスト教の聖典などの翻訳を行った。これらのことから彼は「賢公」といわれている。彼はまたキエフの街の整備にも努め、城壁を強化し、街の門を立派にした。その門のうち黄金の門のみが旧市街に残っている。一九世紀のロシアの作曲家ムソルグスキー（一八三九〜八一）は、ある展覧会で見た複数の絵の印象を組曲『展覧会の絵』（一八七四年）として作曲しているが、この黄金の門を描いた絵にもとづく曲もその中に入っている。

外交面では、ヤロスラフ賢公の婚姻政策には目を見張るべきものがある。彼の二人目の正夫人はスウェーデン王の娘インギガルドであった。ヤロスラフの娘アナスタシアはハンガリー王アンドラーシュ一世（在位一〇四六〜六〇）の妃に、エリザベートはノルウェー王ハーラル三世（在位一〇四七〜六六）の妃に、アンナはフランス王アンリ一世（在位一〇三一〜六〇）の妃になった。王妃アンナ（仏語名アンヌ）は、夫の死後息子のフィリップ一世（在位一〇六〇〜一一〇八）が幼い間はフランス王国の摂政をつとめた。当時のローマ法王ニコラウス二世（在位一〇五八〜六一）は彼女の英明さを誉め讃えている。またヤロスラフの息子イジャスラフ（在位一〇五四〜六八、六九〜七三、七七〜七八）はポーランド王の娘を妻に、他の息子スヴャトスラフ（在位一〇七三〜七六）はドイツのトリエール司教の妹を、もう一人の息子フセヴォロド（在位一〇七六〜七七、七八〜九三）はビザンツ帝国の王女をそれぞれ妻に迎えた。本章冒頭にも述べたように王朝の威信がその婚姻関係で推し量れることを考えれば、ヤロスラフの声望がいかに高かったかがわかる。

なお、私のウクライナ在勤時にキエフで一緒だったノルウェー大使の夫人は、このノルウェー王ハーラル三世とヤロスラフの娘エリザベートの子孫とのことであり、ヤロスラフの血がスラヴを越えて伝わっている実例を見た思いがした。まさに彼は「ヨーロッパの義父」であったと実感させられたものであった。

キリスト教への改宗

ヴォロディーミル聖公とヤロスラフ賢公の黄金期にキエフ・ルーシ公国はキリスト教化し、後世に大きな影響を与えることとなった。クリミア半島南部のケルソネソスは古代以来ローマ帝国・ビザンツ帝国の領土であり、そこにはキリスト教が根づいていた。また同じクリミア半島には東ゴート人の末裔が数世紀にわたり住んでおり、彼らもキリスト教に改宗していたのでキリスト教の長い伝統があった。そして前述のようにヴォロディーミルの祖母のオリハがすでに改宗しており、キエフ・ルーシ公国内でキリスト教はかなり広まっていた。このように土壌がすでにあった上に、国家の規模が大きくなり、それを治める大公の統治を正当化し、国の凝集力を高めるためにも宗教の助けが必要になってきたのである。とくに一神教の絶対性は君主の絶対性を正当化するのに都合がよかった。

そしてキリスト教を国教化してみると、それは外交にも役に立つことがわかった。キエフ・ルーシ公国はキリスト教の国としてビザンツ帝国を中心とする「文明国の共同体」の一員として認められた。前述のヤロスラフの婚姻政策も大公一家がキリスト教徒になってはじめて可能となったものである。またペチェネグ人など遊牧民との戦いも、異教徒からキリスト教を守る聖戦と位置づけられるようになった。

この国教化後、キリスト教はキエフ・ルーシ公国のみならず、後世のロシア帝国やコサックに統治のイデオロギーを授け、また民衆には精神的な拠りどころを与えるなど計りしれない大きな影響を与えることとなった。日本が仏教を通じて中国の文化を採り入れたように、キエフ・ルーシ公国もキリスト教を通じてビザンツ文化を吸収した。ただローマ・カトリックではなくギリシア正教を選んだことは、後世ロシアが西欧やポーランドとの政治的、文化的断絶を生むきっかけとなったもので、その歴史的意味合いは大きい。

ところでヴォロディーミルの改宗のいきさつについて『原初年代記』は次のような興味深い話を残している。

ヴォロディーミルは以前は異教の偶像を立て、生け贄も捧げた。また多くの女たちを娶り、地方には八〇〇人の妾がいた。イスラム教を信仰するブルガール人がヴォロディーミルのところに来て、イスラム教を勧めて言った。「マホメットは割礼《かつれい》をせよ、豚肉を食べるな、酒を飲むな、その代わり死後には女たちと淫行をすることができると言っています」。ヴォロディーミルは女好きだったので淫行の話を楽しげに聞いていたが、割礼、豚肉、飲酒の話は気に入らなかった。彼は「ルーシ人は飲むことが楽しみなので、それなしでは生きている甲斐がない」と答えた。

またユダヤ人が来てユダヤ教を勧めて言った。「我々の掟は、割礼をし、豚肉・兎肉を食べず、安息日を守ることです」。ヴォロディーミル大公は「それではおまえたちの国はどこにあるのか」と尋ねた。彼らは「エルサレムに」と答えた。大公は「それでそこに今でもあるのか」と尋ねた。彼らは、「神は我々の父に対して怒られ、我々の罪のために我々を国々に散らされました。そして我々の国はキリスト教徒のものとなりました」と答えた。そこで大公は、「それではおまえたちはどうして他の者たちに自分の信仰を勧めているのか。自分たちが神によって退けられ、散らされているのに、もし神がおまえたちの掟を愛していたのならば、おまえたちがよその国々に散らされることはなかっただろう」と言った。

ヴォロディーミルはまた家臣たちをブルガール人、ギリシア人のところへ送った。彼らの帰国後の報告は次のようであった。「ブルガール人のところでは、モスクという神殿でイスラム教徒が礼拝して座り、狂ったようにあちこち見回していました。彼らには楽しみはなく悲しみとひどい悪臭があり、彼らの掟はよくありません。ギリシア人のところ（コンスタンティノープル）へ行きましたら、彼らの教会では私たちは天上にいるような心地でした。地上にはこれほどの栄光も美しさもありません。あそこでは神は人々とともにおられ、彼らの勤行がすべての国の勤行に勝っていることは間違いありません。私たちはその美しさを忘れることができません。あらゆる人間は、もし美味いものを食べたらその後では苦いものを受けつけません。そのように私たちもあの神なしではいられないのです」。

ヴォロディーミルは、九八七年内訌《ないこう》のため助けを求めてきたビザンツ皇帝に援軍を送ったが、その代償として皇帝の妹を妻に欲しいと要求した。皇帝は承諾したが、実行をしぶった。そこでヴォロディーミルはビザンツ領だったケルソネソスを占領して約束の履行を迫った。皇帝は妹アンナをヴォロディーミルのところへ送らざるをえなかった。アンナはいっそ死んだほうがいいと抵抗したが、兄からビザンツ帝国を救うことになると説得されて泣く泣くケルソネソスに向かった。同地でヴォロディーミルは洗礼を受け、アンナと結婚した。そしてケルソネソスはビザンツに返還された。キエフに帰ったヴォロディーミルは異教の神々の偶像を川に投げ捨て、家臣その他を強制的に川へ連れて行き集団で洗礼を受けさせた。

以上が『原初年代記』の伝えるところである。それにしてもルーシ人が酒をやめられないと、この昔からいわれていることは、やはりそうかと思わせる。またギリシア正教を選択した理由が典礼の美しさによると説明していることは興味深い。現在でも正教の典礼の荘厳さには信徒でない者も魅了されるが、ましてや当時の人々ならさもありなんと納得させられる。

ヴォロディーミルもヤロスラフもキエフに多くの教会を建てた。とくにヤロスラフの建て

ソフィア聖堂（上），ペチェルスク修道院（下）．

たソフィア聖堂には、キエフ・ルーシ公国内の正教を統括する府主教座が置かれ、全公国の正教の中心となった。ここには今もヤロスラフ賢公の棺と遺骨が残っている。その後外側にかなりの改修をほどこされているが、内部はほぼ創建当時のままである。内部には当時のフレスコ壁画やモザイクが残っていて、これらは宗教的なモチーフのみでなく祭りや大公の狩りなど世俗的なテーマが描かれている。修道院も多く建てられたが、その中でもキエフ郊外のペチェルスク修道院は、全ウクライナ・ロシアでもっとも権威のある修道院として現在まで続いている。たびたび引用している『原初年代記』はこの修道院の修道士によって編まれたものである。ソフィア聖堂およびペチェルスク修道院は現在ユネスコの世界遺産に登録されている。

またヤロスラフの息子の時代に建立されたミハイル聖堂は、その黄金のドームの美しさで知られたが、一九三六年スターリンによって破壊された。ソ連崩壊とウクライナの独立後、同国の経済が困難をきわめているにもかかわらず同聖堂は国家的事業として再建され、黄金のドームが再びキエフの町に燦然と輝くことになった。この再建は、キエフ・ルーシ公国がウクライナの起源であることを確認するとともに、ウクライナのナショナリズムを破壊したスターリンの爪あとを一刻も早く消し去るという二重の目的があったと思われる。なお二〇〇〇年六月アメリカのクリントン大統領がウクライナを公式訪問した際、同大統領はキエフ・ルーシ公国発祥の地であると同時に反ソ連の象徴でもあるミハイル聖堂の前の広場をあえて選んでウクライナ国民数万人に対して演説を行った。

いずれにせよ、現在のキエフの町には、通りの一方の端には千年の風雪に耐え歴史の重みを感じさせるソフィア聖堂が、そして他方の端には往時もかくのごとくであったかと想像されるミハイル聖堂の華麗な黄金のドームが対置されることとなった。ルーシ時代のキエフは四〇〇の教会が黄金のドームを互いに競って立ち並び、当時ヨーロッパの数ある都市の中でももっとも美しい町のひとつといわれたが、それが再現されたかのようである。

モノマフ公の庭訓

ヤロスラフ賢公の死後にも再び息子たちの間で争いが起こり、半世紀近く続いた。その間にペチェネグ人に代わって台頭していた遊牧民のポロヴェッツ人が執拗にキエフ・ルーシ公国を荒らしまわった。そしてポロヴェッツ人のため一一世紀末にはキエフとビザンツ帝国の交易路は断たれてしまった。

ようやく事態を収拾したのは、ヤロスラフの孫ヴォロディーミル・モノマフであった（在位一一一三～二五）。彼の母がビザンツ皇帝を輩出したモノマコス家の出であったため、モノマフと呼ばれた。彼は勇武と知略をもって知られ、民衆の人気もあった。国の統一を回復して、キエフ・ルーシ公国に最後の輝きを与えた。ちなみに彼の妻はイングランド王ハロルド二世（一〇六六年、ヘースティングズでノルマンディーのウィリアム征服王に敗れた王）の娘ギーダであった。そしてモノマフとギーダの間を取りもったのはデンマーク国王であり、この時代にもキエフ・ルーシ公国とその発祥の地スカンディナヴィアの間には強い結びつきが残っていたことがうかがえる。

モノマフは彼が残した『モノマフ公の庭訓』によっても知られている。これは、彼が自分の人生を振り返るとともに君主としてのあり方について子供たちに教訓を残しているものである。戦乱の絶えない中世においては、君主といえどもいかに自ら心身を律し、気を配らないと生き延びていけないかが切実に伝わってくるものである。そのいくつかをここに紹介しよう。


自分の家にあっては……万事に目をくばれ。……執事にも従者にも任せきりにしてはならぬ。戦場にのぞんだときには、部将らに頼ってはならぬ。……軽々しく剣を肌身からはなしてはならぬ。油断していて不意をつかれ、身をほろぼすことがあるからだ。虚言と深酒と淫乱を避けよ。……自分の領内を通過するときには、おのれの従者にも他人の従者にも、村々や田畑で乱暴をはたらくことを許すな。

何よりも客をうやまえ。……よきにつけ、あしきにつけ、旅をする者はすべての国々に人の噂をひろめるものであるから。

人に会ったら、かならず挨拶をし、やさしい言葉をかけよ。自分の妻を愛せ、しかしその言うなりになってはならぬ。


（中村喜和編訳『ロシア中世物語集』）

モンゴルの征服

一一二五年のヴォロディーミル・モノマフの死後、一二四〇年のモンゴルによるキエフ占領までの一世紀あまりの間に、キエフ・ルーシ公国はゆっくりと解体の過程に入った。

内政面では、大公および地方の公の継承方法が、当初の兄弟相続から父子相続に変わった。これにより地方の公は、父子相伝の領地の維持・拡大が最大の関心事になった。その結果、都としてのキエフやそこに座す大公の地位が低下するとともに、諸公がキエフから分離・独立する傾向が顕著となった。一二世紀にはほとんど独立した一〇〜一五の公国ができ、キエフ・ルーシ公国は実質的には諸公国の連合体になった。なかでも北東部のウラジーミル・スーズダリ公国、北部のノヴゴロド公国、南西部のハーリチ・ヴォルイニ公国などが有力となった。このウラジーミル・スーズダリ公国から分かれたのがモスクワ公国である。諸公国はときには遊牧民ポロヴェツ人をも巻き込んで勢力争いに明け暮れた。

経済でも停滞傾向が目立ってきた。これは、交易路の衰退によるところが大きい。かつて七世紀末のアラブ帝国の勃興によって地中海がイスラム勢力下に入り、西欧とビザンツ帝国・中東を直接結ぶ東西のルートが遮断された。それにともない、その代替となる南北の「ヴァリャーグからギリシアへの道」が賑わい、それによってキエフ・ルーシ公国は豊かになった。しかしその後、十字軍の派遣などにより一二世紀までには地中海におけるイスラム勢力のヘゲモニーは終わり、東地中海を通じて西欧とビザンツ帝国・中東を結ぶルートが復活した。こうしてキエフを通ずる交易路の重要性は低下した。これにともない貿易に熱心だったルーシの公や貴族は、商人から地主に変貌していった。かくてキエフ・ルーシ公国の経済は、商品経済から農業中心の自給自足経済に変わっていき、沈滞していった。

かかる傾向の終着点がモンゴルの侵攻であった。モンゴルは一三世紀はじめモンゴル高原に興り、またたく間にユーラシア平原を席捲した。モンゴルの先遣隊は早くも一二二三年キエフ・ルーシ公国に現れ、アゾフ海に近いカルカ川の河畔でルーシ諸公を破った。諸公のほぼ半数の九人が戦死し、死者は六万人に上ったと記録されている。これほどの大敗にもかかわらず、ルーシ諸公はモンゴルをペチェネグ人やポロヴェツ人などこれまでの遊牧民と同様に考えて侮っていた。しかしモンゴル軍は、機動力、統制力、破壊力、抵抗した際の残虐な報復、そして征服した後の優れた統治能力などの点において従来の遊牧民とはまったく異質であった。そしてジンギス汗の孫バトゥに率いられた本格的な征服軍は一二三七年にやって来た。バトゥはリャザン、スーズダリ、ウラジーミルなど東部、北部の諸都市を陥《おと》し、一二四〇年キエフを包囲した。キエフ大公はすでに逃亡していたが、市民は軍事指導者ドミトロに率いられよく抗戦した。長い籠城戦の後、城壁が壊され、同年末キエフは陥落した。これはオレフがキエフを占領してから約三五〇年後のことであった。陥落の際、市民は教会に立て籠《こも》ったが、その教会が破壊され何百という市民が下敷きとなって死んだという。その跡が現在も残っている。またドミトロはその勇気をバトゥに称賛され、命を助けられた。

モンゴルは、ロシアやヨーロッパから「タタール」と呼ばれた。またバトゥは後にヴォルガ川の下流サライを都とするキプチャク（金帳）汗国（一二四三～一五〇二年）を建てた。

さて、このモンゴルの征服によってこれまで名目上残っていたキエフ・ルーシ大公国は終《しゅう》焉《えん》を迎え、長いモンゴル支配の時代に入るが、個々の諸公国がこれによってただちに消滅したわけではない。ほとんどの公国はモンゴルの支配に服し税を納めるかわりにその存続を認められた。そしてモンゴルの支配下で比較的平和な時代を送った。

後世のロシアの年代記作家や歴史家は、モンゴル支配を「タタールのくびき」と称してロシア史のもっとも暗い時代として描くが、これはいささか割り引いて考えたほうがよさそうである。モンゴルは破壊や殺戮《さつりく》それ自体を欲したのではなく、支配と税収が目的であった。抵抗すれば徹底的に報復するが、服従を誓って納税すれば自治を認めた。クリミアのように交易による収入が見込まれるところは直轄領となったが、ルーシの地はそのような旨《うま》みも少なかったので、間接統治が布《し》かれた。モンゴル人には、ルーシの中でもステップは彼らの故郷と同じで馴染みがあったが、モスクワの属する森林地帯には関心がなかった。

したがって「タタールのくびき」というより、服従と納税の代価としてモンゴルが平和と秩序を保証する「パクス・モンゴリカ」（モンゴルの平和）が存在していたといったほうが妥当なようである。一三世紀半ばローマ法王の使節としてジョヴァンニ・カルピニが、またフランス王の使節としてギヨーム・ルブルクがそれぞれモンゴルに旅行したが、その際も安全上の問題はなかった。エイゼンシュタインの映画『アレクサンドル・ネフスキー』（一九三八年）で有名なアレクサンドル・ネフスキー公（在位一二五二～六三）もスウェーデンやドイツ騎士団とは戦ったが、キプチャク汗国には全面的に臣従した。ネフスキー公の子孫である代々のモスクワ公も従順だったため、キプチャク汗国から他の諸公に対する徴税を任された。そのためモスクワは裕福になり、後に台頭する一因となった。こう考えれば、モスクワ公国やその末であるロシア帝国はあまりタタールを悪く言えないのではなかろうか。

モンゴルは正教会も保護した。教会や聖職者の税を免除し、教会内部や教会関係者の裁判権を教会に与えた。こうして皮肉なことに、この異教徒の支配の下で教会は豊かになり、ルーシの地のキリスト教化は完成した。

モンゴル支配下では交易の様相も変わった。キエフ・ルーシ公国により数世紀間中断されていたハザールの貿易パターン、すなわち東西の交易ルートが復活した。今回の主役はイタリアの商人たちであった。前述のように東地中海が自由になってからイタリア商人の進出は目覚ましく、ヴェネツィア、ピサ、ジェノヴァなどが、かつてギリシア植民都市のあったクリミア南岸に貿易の拠点を築いた。とくにジェノヴァの勢力は強く、その拠点カッファ（現在のフェオドシア）は、中央アジア、カスピ海、黒海、地中海の中継貿易の中心となった。そこでは中央アジアから絹や香料がもたらされ、ルーシの地からは穀物、魚、皮革、奴隷などが輸出された。マルコ・ポーロ（一二五四～一三二四）自身がクリミアの地を訪れたという記録はないが、ヴェネツィアの商人である彼の父と叔父はクリミアの都市ソルダイア（現在のスダク）に自分たちの支店をもっていた。クリミアに支店をもつポーロ一族にとっては、モンゴル旅行はそれほど途方のないものではなかったのであろう。

なおここで読者はお気づきかと思うが、この貿易パターンはハザールだけでなく、スキタイ時代と酷似している。仲介者もギリシアやイタリア半島の地中海人である。このようにウクライナの地は、古代からクリミアを通じてギリシア・ローマ（その後のイタリア）世界および海の世界とつながっているのである。この開放性は、他のスラヴ諸国の歴史が内陸的な印象を与えるのとは対照的に、ウクライナの大きな特色である。

最初のウクライナ国家

ハーリチ・ヴォルイニ公国は、キエフ・ルーシ公国の南西部にあったハーリチ（ロシア語名ガーリチ、英語名ガリシアまたはガリツィア）公国とヴォルイニ（ロシア語名ヴォルイニ、英語名ヴォリニア）公国が合わさってできたもので、一二四〇年のキエフ陥落後も一世紀近く存続した国である。この国は従来ほとんど顧みられることがなかったが、ウクライナにとってはきわめて重要である。本章冒頭に述べたようにウクライナはキエフ・ルーシ公国の直系と主張している。キエフ・ルーシ公国の滅亡後ウクライナの地には継ぐべき国がなかったとするロシア側の言い分に対抗する根拠となるのがこのハーリチ・ヴォルイニ公国である。ウクライナの史家トマシェフスキーは、ハーリチ・ヴォルイニ公国はその最盛期には現ウクライナの九割の人口が住む地域を支配しており、「最初のウクライナ国家」だとしている。

一一九九年ヴォロディーミル・モノマフの玄孫（曾孫《ひまご》の子）にあたるヴォルイニ公ロマン（在位一一七三〜一二〇五）がハーリチ、ヴォルイニ両公国を合併し、新王朝を開いた。同公は一二〇〇年キエフを占領したが、もはやキエフに魅力を感じず、ハーリチにとどまった。それでも同時代人は彼を「全ルーシの君主」と呼んだ。

息子のダニーロの治世（一二三八〜六四）は、モンゴルの来襲と重なり多難であった。ダニーロはキプチャク汗国の都サライまで出頭し、バトゥに臣従の礼を示さねばならなかった。バトゥは好意のつもりでダニーロに馬乳を勧めたが、ダニーロにとっては屈辱以外のなにものでもなかったらしい。彼は気概のある君主だったようで、ローマ法王に反タタールの十字軍を呼びかけた。この企ては実現しなかったが、彼は法王より、「ルーシの王」の称号を受けている。ダニーロは、ハーリチ・ヴォルイニ公国史上もっとも傑出した君主とされており、隣国からの侵食を防ぎ、ハーリチ・ヴォルイニ公国を当時東欧の有力国とした。また彼は息子レフの名をとってリヴィウ（ロシア語名リヴォフ）の町を建設した。この町は後世ウクライナ西部の中心となり、またウクライナ・ナショナリズムの拠点となった。現在この町は世界遺産に登録されている。

ダニーロの死後は各国の干渉を招き、一三四〇年代になって、ヴォルイニはリトアニアに、ハーリチはポーランドに併合された。これは最初にオレフがキエフを占領してから約四五〇年、最後の男系レフ二世（在位一三一五～二三）は始祖リューリクから数えて一四世代目であった。こうして「最初のウクライナ国家」は消滅した。そしてハーリチ・ヴォルイニ公国の領域を継ぐ独立国は二度と現れることはなかった。

キエフ・ルーシの社会と文化

キエフ・ルーシ公国の人口の大部分が農業に従事していたとしても、キエフ・ルーシ公国を当時のヨーロッパ有数の大国にしたのは商業であり、貿易であった。たとえばフランスでは一二世紀まですべての絹織物は「ルーシ物」と呼ばれていたが、これはルーシの商人が絹織物を運んできたからである。中世の西欧では王侯貴族が商業を低く見ていたのに比し、キエフ・ルーシでは諸公や貴族は商業を重視し、そこから富を得ていた。商業の発達と都市の発達は相関関係にあるが、これも西欧が圧倒的に農村社会だったのに対し、キエフ・ルーシでは都市の比重が高かった。年代記によると二四〇の町があり、総人口の一三〜一五%が都市に住んでいたと推測されている。最大の都市キエフは一三世紀前半のモンゴルの占領時に人口三万五〇〇〇〜五万人と推測されているが、これは当時のヨーロッパでは最大級で、ロンドンですらその水準に達するのはその一世紀後であった。またキエフ・ルーシの総人口は、一二世紀末〜一三世紀はじめには七〇〇万〜八〇〇万人に達していたと推定されている(同時期の神聖ローマ帝国は八〇〇万人、フランスは一五〇〇万人と推定されている)。

キエフ・ルーシの貨幣は銀の鋳塊であり、その単位は「フリヴニャ」(ロシア語グリヴナ)と呼ばれた。ちなみに、ウクライナは、独立して五年たった一九九六年に本格的な通貨を導入したが、その単位の名はこの歴史的なフリヴニャであった。なお現在のロシアの通貨単位「ルーブル」は、「切り取られた」という意味で、フリヴニャを切り分けた銀塊の単位として一三世紀に現れたものである。ウクライナ人は冗談半分に、ルーブルはフリヴニャから派生し、フリヴニャより小さいとからかっている。

キエフ・ルーシの文化の水準はキリスト教の導入で飛躍的に高まった。教会建築、イコン絵画、キリスト教関係の書物の翻訳・出版などである。『原初年代記』をはじめとする諸都市の年代記も修道士の手になったものが多い。宗教色がきわめて薄いものとしては『イーゴリ軍記』(一二世紀後半)がある。これはノヴホロド・シヴェルスキー(ロシア語名ノヴゴロド・セヴェルスキー)という小さな町の公でヤロスラフ賢公の玄孫にあたるイーゴリ公(ウクライナ語名イホル、一一五一～一二〇二)と、遊牧民ポロヴェツ人との戦いを描いた叙事詩である。この作品は一八世紀後半はじめて写本が発見されたが、こんな早い時期にこれほど文学的価値の高い作品が書かれたはずがないと偽書説まで生まれたものである。現在では『ニーベルンゲンの歌』や『ロランの歌』と並び称される中世ヨーロッパの代表的な文学とされている。そして一九世紀のロシアの作曲家ボロディン(一八三三～八七)はこれをもとに歌劇『イーゴリ公』を作曲した。

この章を終えるにあたり、『イーゴリ軍記』の中でももっとも叙情的だとされる部分、すなわちポロヴェツ人の捕虜となった夫イーゴリの身を案ずる妻ヤロスラーヴナの嘆きの箇所を紹介しよう。

　ドナウ(筆者注・大河一般を指す)の岸辺にヤロスラーヴナの声が聞こえる。朝まだき人知れずほととぎすのように鳴いている。

「ほととぎすに身を変えて、わたしはドナウを飛んでゆこう。海狸《ビーバー》の袖をカヤーラ（筆者注・アゾフ海に注ぐ川の名）の流れにひたし、たくましい公の体をいためた傷の血をぬぐってあげたい」

ヤロスラーヴナは朝早く、プチーヴリ（筆者注・町の名）の城壁でむせび泣く。

「おお、風よ、空吹く風よ。なにゆえに、そなたはかくも吹きつのる。なにゆえに、その軽やかな翼に乗せて、フンの矢をいとしの夫のつわものたちに投げかけたのか。そなたは雲居を吹き、青海の船をあやすだけでは吹き足らぬのか。なぜにそなたは、わが喜びをはねがやの草のまにまに吹きちらしたのであろう」

ヤロスラーヴナは朝早く、プチーヴリの町の城壁で泣いている。

「おお、ドニエプル、栄えある川よ。……いとしい人をわたしのもとに戻しておくれ。そうすれば、わたしは朝早くから夫のもとへ海さして涙を送らずにすむものを」

（『ロシア中世物語集』）

第三章　リトアニア・ポーランドの時代

暗黒と空白の三世紀？

一四世紀半ばにハーリチ・ヴォルイニ公国が滅亡してから、一七世紀半ばにコサックがウクライナの中心勢力になるまでの約三〇〇年間、ウクライナの地にはウクライナを代表する政治権力は存在しなかった。この間はリトアニアとポーランドがウクライナを支配した。しかし、この期間はウクライナにとりまったくの暗黒時代で空白の三世紀であったろうか。

キエフ・ルーシ公国の時代にはほぼ全域にわたって単一のルーシ民族であったものが、この期間中に、ロシア、ウクライナ、ベラルーシの三民族に分化した。分化の一つの要因には、かつてのキエフ・ルーシ公国がこの時代にモスクワ大公国、ポーランド王国、リトアニア大公国と分割され、それが長期間固定されたことがある。キエフ・ルーシ公国の末期からすでに分化し始めていたと想定される言語も、この時期にロシア語、ウクライナ語、ベラルーシ語というそれぞれ独立した言語になっていった。また「ウクライナ」という地名が生まれたのも、ウクライナの歴史を通じてもっともウクライナ的といえるコサックが生まれたのもこの時期である。その意味からすれば、この時期は、厳しい三世紀ではあったが、同時にウクライナのアイデンティティー形成のためにきわめて重要な時代であったともいえる。

リトアニアの拡張

リトアニア人はインド・ヨーロッパ語族に属するが、スラヴでもゲルマンでもない孤立した民族である。彼らは先史時代からバルト海沿岸に住んでいた。キエフ・ルーシが正教に、ポーランドがカトリックに改宗した後も、昔ながらの独自の信仰を守っていた。

一三世紀はじめ、北ポーランドのカトリックの公が、このバルト海沿岸の異教徒たちに脅威を感じ、十字軍から帰ったドイツの騎士たちをバルト海沿岸地方に招いて定住させた。これがドイツ騎士団である。同騎士団は、その武力と宗教的エネルギーをもって異教徒を圧迫した。ところが皮肉なことに、生き残りのためにドイツ騎士団と戦っているうちリトアニア人は徐々に力をつけ、周辺地域とりわけスラヴ諸国に打って出るようになった。すなわち、キエフがモンゴルに占領された一三世紀中頃、ミンダウガス公（在位一二四〇?～六三）の

ポーランド・リトアニア連合国.

下にリトアニアははじめて統一され、ハーリチのダニーロと対峙した。ダニーロはポーランドやドイツ騎士団と結んでミンダウガスによく対抗したため、この時点ではリトアニアは東部、南部への進出を十分果たすことができなかった。

さてミンダウガスの東・南進政策は、一四世紀はじめゲディミナス（ロシア語名ゲディミン、在位一三一六～四一）によって受け継がれた。ゲディミナスはリトアニア大公となり、現在のベラルーシの大部分およびウクライナ北部を支配下におさめた。また彼は首都をヴィルニュスに定め、将来を見据えて「リトアニアとルーシの王」と自称した。彼はリトアニアの王朝とポーランドの王朝の祖となったほか、ロシア・ポーランドの多くの名門貴族の祖となった。ロシア史に頻繁に現れるゴリーツィン、トルベツコイ、クラーキン各公爵家やポーランド史上有名なチャルトリスキ、サングスコ公爵家などである。

ゲディミナスの死後もリトアニアはその版図を拡大し、ウクライナのヴォルイニ、チェルニヒフ、キエフ地方そしてドニエプル川東岸の広大な地域を支配下におさめた。当時キエフの町はすっかりさびれていたという。また一三六二年リトアニアは不敗を誇ったキプチャク汗国と戦い、ヨーロッパ側で最初に勝利した。リトアニアはウクライナの中部ポディリアを征服し、ハーリチ地方(後に「ハーリチナ」と呼ばれるようになった)を除くほぼ全ウクライナとベラルーシ、すなわちかつてのキエフ・ルーシ公国の版図の半分以上を支配下におさめた。これは当時ヨーロッパ最大級の版図をもった国であり、しかもそれを建国以来一世紀半にも満たない短期間で実現したことは驚異的である。

この急速な拡大の原因は何であったろうか。まずその武力は、前述のようにドイツ騎士団との戦いで身につけたものであった。ではベラルーシやウクライナの地をかくも速やかに支配下におさめたのはなぜか。リトアニアによるこの地域の征服はきわめてスムーズに行われ、貴族・民衆の双方にさしたる抵抗がなかった。ルーシの地の住民にとってモンゴル人は完全な異邦人であったが、リトアニア人はさほど違和感はなかった。リトアニア人も侵入当初こそ異教徒ではあったが、すぐにスラヴの文化に染まった。多くのリトアニア貴族は正教に改宗し、まもなく当時のルーシの言葉（「ルテニア語」ともいわれる）がリトアニアの公用語になった。リトアニア人は「古いものは壊さず、新しいものはもち込まず」との方針で臨んだ。またリトアニア人は少数だったため土地のルーシ系貴族を登用して彼らから歓迎された。こうして一～二世代のうちにリトアニア人は見かけも言葉もルーシ人のようになってしまった。このようなことから、後世のウクライナの歴史家フルシェフスキーは、キエフ・ルーシ公国の伝統はモスクワではなくリトアニア公国によって継承されたとしている。

ポーランドの進出

リトアニアの次にウクライナに触手を伸ばしたのはポーランドであった。ポーランドはスラヴ系で、ルーシにとってリトアニアよりも近い関係にあるが、一〇世紀頃から西方キリスト教（カトリック）を受け入れたため、東方キリスト教（正教）を受け入れたキエフ・ルーシとは文化的には異質となっていた。またリトアニアがルーシの文化を受け入れてルーシに融け込んでいったのに対し、ポーランドはルーシにおのれの文化を押しつけた。そのこともあり、ポーランドのウクライナ進出はスムーズに進まなかったが、結局ウクライナの地に後々まで長く居座り、ウクライナの歴史に決定的な影響を与えたのは、リトアニアよりもポーランドのほうであった。

ポーランドは一三世紀に神聖ローマ帝国やドイツ騎士団から領土を削り取られ、南のボヘミア、モラヴィアからも脅威を受けていた。唯一の出口は東方であった。そして最初に東方に進出したのはカジミエシ三世（大王、在位一三三三〜七〇）であった。彼は衰退しつつあるハーリチ・ヴォルイニ公国につけ込み、その公位継承に干渉した。同じく同公国に食い込もうとするリトアニアとも争った。

こうして一四世紀中頃にはハーリチ地方はポーランドの領有下に入った。以来リヴィウを中心とするハーリチ地方は、第二次世界大戦まで約四世紀半の長きにわたりポーランドに組み込まれることになる（一七七二年の第一次ポーランド分割から第一次世界大戦終結後までオーストリア・ハンガリー帝国の支配下にあった一世紀半を除く）。なおそれを別の面から見れば、ハーリチ地方はウクライナの一部でありながら歴史上一度も帝政ロシアの支配下に入ったことはなく、またソ連の一部になったのも第二次世界大戦後であり、その意味でロシア的色彩が弱く、西欧の影響が強い。

ポーランドとリトアニアの合同

カジミエシ大王には跡継ぎがなく、彼の死後、ポーランド、リトアニア、ハンガリーの王(公)位の継承は複雑なものとなる。ポーランド王位は甥のハンガリー王ラヨシュ一世(ポーランド語名ルドヴィク、ポーランド王としての在位一三七〇〜八二)が兼ねることになるが、ラヨシュにも男子がなく、三女ヤドヴィガ(ポーランド女王としての在位一三八四〜九九)とその将来の夫にポーランドの王位を継がせることにした。

ポーランドの貴族たちは、女王の婿にポーランドに干渉しない者を望んだ。彼らが目をつけたのは、ゲディミナスの孫でリトアニアの若き大公ヨガイラ(ポーランド語名ヤゲウォ)であった。貴族たちは、ヨガイラはポーランド王にしてもらえば感謝していいなりになるだろうと考えた。ヨガイラとしても、一族内の争いやドイツ騎士団、モスクワ公国からの脅威から身を守るためにはポーランドからの申し出は願ってもないことだった。こうして一三八五年リトアニアをポーランド王国の王冠に編入することを約束する「クレヴォの合同」が成立した。一三八六年ヨガイラはヤドヴィガと結婚してポーランド王とリトアニア大公を兼ねることとなった(リトアニア大公としての在位一三七七〜九二、ポーランド王としての在位一三八六〜一四三四)。

もっともこの合同の結果ただちにリトアニアとポーランドが一つの国になったわけではな

い。リトアニアは自前の大公を擁してポーランドに対抗するなど別の国としての独自性を長期間保持した。それどころかゲディミナスの孫ヴィタウタスが大公の時代（一三九二〜一四三〇）はリトアニアの絶頂期ともいえる時期で、その領土はドニエストル川とドニエプル川にまたがり、黒海にまで及んだ。しかし次第にポーランドの力が強まり、一五六九年ルブリンで行われた会議の結果、「ルブリンの合同」が成立した。この合同により共通の王、議会、外交政策をもつ「連合国家」（ポーランド語名ジェチ・ポスポリータ）が形成されるに至ったが、これは事実上ポーランドによるリトアニアの併合であった。

ウクライナについていえば、一五世紀前半にはすでに中部のポディリア地方はリトアニアからポーランドの支配下に移っていたが、このルブリン合同によってこれまでのハーリチナ、ポディリアに加え、ヴォルイニ、キエフ地方などもポーランドの支配下に入った。こうしてウクライナのほぼ全域がポーランドの領域になり、この時点でリトアニアのウクライナ支配は終わった。

なお、リトアニアがポーランドから離れるのは、二〇〇年以上たって、一七九五年ロシア、プロイセン、オーストリアによる第三次ポーランド分割によってリトアニアがロシア帝国の属州となるときである。

リトアニア・ポーランド支配下のウクライナ

リトアニア・ポーランド支配下、なかんずくポーランドの支配下にあったウクライナ社会の特徴は、貴族の力が強まり農民が農奴化していったことである。ポーランドでは、王家の男系が絶えると姻戚関係などから外国人が王位を継いだが、そのたびに貴族たちは王の権限を制限し、自分たちの国事への参画や特権を認めさせていった。貴族たちは国会や地方議会を組織し、それには大貴族（マグナート）のみならず小貴族（シュラフタ）も参加した。しかもこれらは全会一致制であったので一人の貴族の反対で国事が決定できないという状況も生まれた。そして一六世紀はじめには、国会における貴族の代表の同意なくして王はいかなる勅令も出せなくなってしまった。貴族たちはヨーロッパのどの国よりも王権を弱くすることに成功し、ついにヤゲウォ朝の断絶の後には、王が貴族の選挙で選ばれるという選挙王制ないしは「貴族による共和制」まで生み出すに至る。

貴族は王権だけでなく、他の階層の権限も弱めていった。この時期ウクライナには大都市はなかったので、市というよりも町といったほうが適当と思われるが、町全体の人口は全人口の一〇〜一五%程度であった。リヴィウなどの大きな町はドイツの自治都市に倣った自治を認められていたが、一六世紀はじめ貴族は議会での町民の投票権を剝奪した。また町の商人が外国と商売をすることを禁止した。外国との商売は貴族が直接行うようになり、貴族が富裕化する原因の一つとなった。職人は町ではやっていけず、貴族の領内に移り住んだ。こうして町は衰退した。

もっとも境遇が落ち込んだのは農民であった。一五世紀中頃より貴族は村の直接統治に乗り出した。貴族は村の自治を奪い取り、農民の生活にも干渉した。結婚するにも領主に税を納めなければならないほどであった。王は王の直轄領以外では土地に関する訴えを取り上げないこととなり、かたや地方の裁判所はすべて貴族の支配下に入ったので、農民は自分の言い分を聞いてもらう場を失った。また農民は土地を所有する権利を奪われ、貴族のみが土地を所有する権利を得た。農民は、以前は領主に不満があればその村を離れる権利をもっていたが、いかなる理由でも村を離れることができなくなった。こうしてキエフ・ルーシ時代に自由民だった農民は一六世紀末までに大部分が領主の農奴になっていった。西欧で農奴が消えるこの時代に東欧やウクライナでは農奴が生まれてきたのである。

農民の立場を悪くする原因には外的な要素もあった。一六世紀の西欧では、アメリカ大陸からの銀の流入により経済は繁栄し、人口は増加し、そのため穀物不足が起こり、その価格が上昇した。これに応えたのが東欧、とりわけポーランド・リトアニアの領主だった。領主は利潤に目覚め、商品作物の生産に精を出した。そのため農民を一層搾取した。この東欧の穀物ブームにはウクライナの穀倉地帯が大きな役割を果たした。主に西ウクライナで生産された穀物はヴィスワ河口のグダンスクまで運ばれ、そこから西欧に輸出された。一四九一〜九二年に一万三〇〇〇トンだった穀物輸出は、一六一八年には二七万二〇〇〇トンまで増加した。コペルニクス（一四七三〜一五四三）の活躍に代表されるポーランドのルネサンスと呼ばれる文化の興隆はこうして出現した。他方それを支えたウクライナの農民は領主の厳しい荘園経営の犠牲になった。

一七世紀半ばのフランス人の築城家で地図製作者でもあったギヨーム・ル・ヴァスール・ド・ボープランはポーランド王に雇われてポーランド軍とともにウクライナ各地を旅行して、『ウクライナ誌』（一六六〇年）という書物を著した。これはウクライナで生まれたコサックの国民性や風俗・習慣をはじめて詳細に西欧に紹介した書物であるが、ボープランはこの中でポーランド人の性格について次のように述べている。

　ポーランド貴族は目上の者や知事・代官に対しては謙虚で愛想がいい。同僚ともうまくつき合う。しかし目下《めした》の者には傲慢《ごうまん》で手に負えない。……彼らは勇敢で武器の使用に巧みである。……なぜならポーランド人にとって戦争でないときはないからだ。彼らはほとんど絶えずトルコ、タタール、モスクワ、スウェーデン、ドイツなどのヨーロッパの君主たちと、しかも同時に二、三カ国と戦争をしているからだ。（筆者訳、以下同じ）

「ユダヤ人の楽園」

ウクライナの地には古代からユダヤ人が住んでいた。またハザール可汗国ではユダヤ教が一時国教になったこともあり、当時のキエフにいたユダヤ商人たちの記録も残っている。キエフ・ルーシ時代には、ユダヤ人はキエフの町で塩の専売を手中にして、「ユダヤ人の門」なるものもあった。しかし全体としてユダヤ人の数は多くなかった。ウクライナにユダヤ人が増えるようになったのは、ポーランド・リトアニア時代になってからである。

一二六四年、ポーランドのボレスワフ敬虔王（在位一二四三〜七九）はユダヤ人を保護する法令（カリシュの規約）を出した。そこでは、ユダヤ人は連帯責任をもって諸公に税金を支払わねばならないが、諸公はユダヤ人に保護を約束し、自由な経済活動を保証した。さらにユダヤ人に自治を行う教区を設置する権利も認めた。またユダヤ人へのいかなる攻撃も厳しく罰した。一四世紀のカジミエシ三世（大王）は、このボレスワフ王のユダヤ人保護政策を一層拡大した。王はユダヤ人が都市や農村で土地と家屋を取得するのを容易にした。そのため王には「農奴とユダヤ人の王」というニックネームがついたほどであった。カジミエシ大王はじめポーランドの王たちはモンゴル侵入後のポーランドを立て直すため外国人のポーランドへの移民を歓迎したので、ユダヤ人、ドイツ人、アルメニア人などが主に都市に流入した。なかでもユダヤ人は、一三〜一五世紀に神聖ローマ帝国内で対ユダヤ人迫害が強まったため、ポーランドでのユダヤ人優遇策に惹かれて多数が移住してきた。リトアニアでは一四世紀末ヴィタウタス大公が同様に寛大なユダヤ人優遇策を打ち出した。その結果リトアニア支配下のウクライナへもドイツ・ポーランドのユダヤ人が移住してきた。

ユダヤ人はまず都市の商人、手工業者になった。次に農村にも進出した。彼らは金銭感覚に優れ、事務能力が高かったため、農村では貴族の荘園の管理人となった。荘園の経営全体を請け負った者もいた。管理人となったユダヤ人は農民を支配し、また彼らに金を貸した。さらに領主の下で旅籠《はたご》、居酒屋、粉引き場、製材所などを経営した。このようにユダヤ人は、領主と農民の中間にたち、農民の労働の成果を領主のポケットに運ぶパイプの役を果たした。ただしこのことによってユダヤ人は農民から領主の手先とみなされるようになり、後にこの地域でユダヤ人の大量殺害が起こる遠因もここにあった。

ユダヤ人が保護されていたといってもキリスト教会はユダヤ人に敵対的であったし、キリスト教徒商人はユダヤ人を排除しようと試みた。しかし、王と貴族はユダヤ人から利益を得ていたのでかかる試みは概して成功しなかった。こうして当時のポーランド・リトアニアの領域では他のヨーロッパ諸国に比しユダヤ人に住みよい環境が形成された。そこで「ポーランドは農民の地獄、町人の煉獄《れんごく》、貴族の天国、ユダヤ人の楽園」なることわざが生まれた。

また一五六五年ある法王特使はポーランドから次のような報告をしている。

彼ら（ユダヤ人）は、他の地域で見られるほど、蔑視されてはおりません。彼らは屈従状態のなかで生活してはいませんし、また、卑しい職業に限定されているわけでもありません。彼らは土地を所有し、商業に従事し、医学や天文学を学んでいます。大きな富を所有し、まともな人間のなかに数え入れられているだけではなく、ときにはそうした人間にすら支配力を行使しています。……ひとことで言えば、市民の一切の権利を手にしているのです。

（ハウマン著『東方ユダヤ人の歴史』）

こうして一五〇〇年頃には約一万八〇〇〇人のユダヤ人がポーランドに、六〇〇〇人がリトアニアに生活していたといわれ、それは全人口の一％弱であったと推定されるが、一六四八年頃には全体でおよそ五〇万人、人口比で五％に達した。

ウクライナでは、とくに一五六九年のルブリン合同でポーランドは新たな領地を獲得したため大貴族（マグナート）たちは新開地の荘園化に乗り出した。そのためにはユダヤ人が荘園の管理人として必要になり、ユダヤ人の東方への大量移住が始まった。その結果ウクライナでは一七世紀前半の五〇年の間にユダヤ人の人口は四万五〇〇〇人から一五万人に増えた。

以上ユダヤ人のポーランド・ウクライナへの移住についてやや詳しく述べたが、それは、このときの移住が後世に大きな影響を与えたからである。すなわち、一九世紀および二〇世紀のロシア帝国・ソ連においてユダヤ人が政治・経済・文化の面で華々しい活躍をするが、大部分がこのときポーランドに入ってきたユダヤ人の子孫なのである。モスクワ大公国やロシア帝国では、時代により多少の変化はあるが、全般的にユダヤ人の国内居住を禁じていたので、居住していたとしても少数だった。他方ポーランド・リトアニアがウクライナやベラルーシを領有することによってユダヤ人がその地に広がったが、一八世紀末のポーランド分割によりロシアはベラルーシと大部分のウクライナを獲得することになり、その地に住む多くのユダヤ人を抱え込むことになったのである。これらユダヤ人は原則として定住区域として設定されたウクライナとベラルーシを出ることが許されなかったので、ロシア帝国内のユダヤ人はこの両地域が主たる居住地になった。ユダヤ人であるトロツキー、ジノヴィエフ、カガノヴィッチ、シャガール、エレンブルグらがいずれもこの両地域の生まれなのはそのような理由による。また現在アメリカには多くのユダヤ人が住んでいるが、そのうちかなりの部分が旧ロシア帝国・ソ連からの移住者の子孫である。

ユニエイトの誕生

キエフ・ルーシの時代に正教はルーシの地に根づき、ルーシ人と正教徒とは同意義語ともいうべきものになった。そしてモンゴル・キプチャク汗国や初期のリトアニアでは支配者は宗教に寛容だった。しかしウクライナの正教にとって問題は二つの方面から起こった。

一つは、ウクライナの地が政治的に弱くなり、正教の中心がキエフを離れていったことである。ルーシ全体を統括するキエフの府主教は、「キエフ府主教」(より正確には「キエフと全ルーシの府主教」)と名乗ってはいたが、すでに一三世紀中頃のモンゴルによる征服以来、実際にはルーシの北東地方のウラジーミルやモスクワに住んでいた。そして一三二六年「キエフ府主教座」は最終的かつ恒久的にモスクワに置かれることになった。モスクワ公国の興隆に沿った動きではある。ビザンツ帝国以来、正教では国家と宗教が不可分に結びついており、国家が宗教を保護してきたが、ウクライナで正教を保護する強力な政治権力がなくなった以上やむをえない結果であった。

もう一つの問題はポーランドのカトリックから来た。ルーシと正教が同意義語であったようにポーランドとカトリックも同意義語であった。とくにポーランドではイエズス会の奮闘もあり、プロテスタントの攻勢を押さえ込むのに成功して、カトリックの基盤は一層確固としたものになった。ポーランド貴族はルーシ貴族に比し多くの特権を有していて、正教徒のルーシ貴族にとってはカトリックに改宗しポーランド化することがポーランド貴族と対等になる道であった。こうして多くのルーシ貴族がカトリック教徒となり、言葉や習慣もポーランド化した。地方の小貴族や農民は正教を守っていたが、正教やルーシの言語は下層階級のものとみなされるようになった。そしてこの偏見は第二次世界大戦のときまで続くのである。正教徒の大貴族を失ったウクライナの民は指導者を失ったのも同然で、その政治力、文化、教育等の面でも弱体化していった。

カトリックと正教に分裂したキリスト教会を合同させようとする試みは以前よりあったが、ウクライナを支配下に置いたポーランドはウクライナの正教をカトリックに合同させようと画策した。ローマ法王もウクライナとベラルーシをモスクワの影響下から排除するため合同に熱心だった。正教側からもこの動きに同調するものが現れた。そしてこの問題を解決するため一五九六年ブレストで会議を行ったがまとまらず、結局一部のみがカトリックと合同することになった。こうして正教は分裂し、従来の正教とは別に、「ユニエイト」（合同教会）なるウクライナ独特の新しい教会が生まれることになった。ユニエイトはギリシア正教とカトリックの折衷版であるという意味から「ギリシア・カトリック」とも呼ばれる。

ユニエイトは、正教の典礼に従い、ユリウス暦を使用し（カトリックはグレゴリオ暦を使用していた）、聖職者の結婚も認めるが、ローマ法王に服従するとしている。たとえばカトリックの教会に入ると礼拝用の椅子が整然と並べてあるが、正教では椅子は置かれず立って礼拝する。ユニエイトの教会でも立って礼拝する。ユニエイトは後にドニエプル川右岸地方では主要な宗教となった。しかし後のこととなるが、それらの地域がロシア帝国領となってからも、ユニエイトはローマ法王への忠誠をやめなかったためロシア帝国内では禁止された。ただオーストリア・ハンガリー帝国の統治下（一七七二～一九一八）にあった西ウクライナでのみユニエイトは生き延びた。しかし第二次世界大戦後その地域もソ連領下に入ると、そこでもユニエイトは禁止された。このような過程からユニエイトは、ウクライナ・ナショナリズムの一つのシンボルになった。いずれにせよウクライナが虐げられているこの時代に、すぐれてウクライナ的なものが生まれたことは興味深い。

モスクワ大公国とクリミア汗国の台頭

キエフが衰微している間にウクライナの北東ではモスクワ公国（後に大公国）が諸公国のうちで強大になってきた。一四八〇年モスクワ公国はキプチャク汗国の支配から脱し、二世紀以上にわたる「タタールのくびき」が終わった。第二のローマともいうべきビザンツ帝国のコンスタンティノープルは一四五三年にオスマン・トルコによって滅ぼされていたので、モスクワは我こそは「第三のローマ」であり、キリスト教世界の盟主となるというイデオロギーを作り出した。イワン三世（在位一四六二～一五〇五）は「全ルーシの君主」と称し、かつてキエフ・ルーシ公国であった土地はすべて自分の土地であると主張した。そして一五～一六世紀にモスクワ大公国とリトアニア大公国はかつてのキエフ・ルーシの土地をめぐって長期にわたり争い、モスクワは少しずつリトアニアの領土を削り取っていった。こうしてリトアニアはチェルニヒフやスモレンスク、ポロツク地方を失った。イワン四世（雷帝、在位一五三三～八四）は、はじめて「ツァーリ」として戴冠した（一五四七年）。

一方ウクライナの南方では、一四世紀末頃からキプチャク汗国が内訌やリトアニア、ティムール帝国などの侵攻による外患で弱まり、辺境部ではカザン汗国、クリミア汗国などが独立した。キプチャク汗国は一五〇二年に滅亡した。クリミア汗国を強大にしたのはタタール人のメングリ・ギレイ（在位一四七八～一五一四）で、彼はジンギス汗の後裔と称した。しかしクリミア汗国はクリミア半島南岸で貿易の実権を握るジェノヴァ人の諸都市を支配できなかった。

そこに進出してきたのはオスマン・トルコ帝国であった。コンスタンティノープルを攻略し、ビザンツ帝国の息の根を止めたオスマン・トルコのメフメト二世（在位一四五一～八一）は、黒海北岸にも触手を伸ばし、黒海を「トルコの海」にしたいと望んだ。オスマン・トルコのスルタンはキプチャク汗国の政治的後継者と称し、一四七五年ジェノヴァ支配下のカッファその他のクリミア半島諸都市を手中におさめた。クリミア汗国はオスマン・トルコの強さを知り、その宗主権を認めざるをえなかった。クリミア汗国はオスマン・トルコの行う戦役に兵を出し、また帝国の北辺を守るなどオスマン・トルコの属国となったが、一六世紀中は比較的独立していた。

クリミア汗国はタタール人のイスラム国家である。タタールの中でも、クリミア半島に住む主に農民であるクリミア・タタールと、黒海北岸で遊牧をしているノガイ・タタールがあった。ノガイ・タタールはクリミア汗国の宗主権の下にあったが、実際は勝手に行動していた。前述の『ウクライナ誌』の著者ボープランは、タタールについても次のように述べている。

彼らは勇敢で頑丈な兵士たちである。疲れにくく、外気の冷たさにたやすく耐える。なぜなら、七歳になると彼らの住居である幌馬車を出て露天で寝るからである。またその年齢から自分が弓矢でとったものしか食べさせてもらえない。そのため親たちは子供にいかに真っ直ぐ矢を射るかを教える。一二歳を過ぎると親は子供を戦いに送る。母親は塩を入れた水で子供を毎日水浴させ、皮膚を硬くして寒さに鈍感にさせる。これは冬に川を泳いで渡らねばならないときに備えるものである。

クリミア汗国の経済は奴隷の貿易で成り立っていた。オスマン・トルコは軍とハーレムのためたえず奴隷を必要としていた。新しい属国クリミア汗国はその奴隷の主な供給源であった。そしてノガイ・タタールがスラヴの町や村から人々を攫《さら》い、クリミア汗国に売った。ただ奴隷に売られたすべての者が悲惨な生涯を送ったわけではない。例外もいた。ハーリチナ地方ロハティンの司祭の娘アナスタシア・リソフスカ（一五〇五〜五八または六一）は、一五歳のときクリミア・タタールに捕らえられ、奴隷に売られた。彼女はオスマン・トルコのスルタン、スレイマン大帝（在位一五二〇〜六六）のハーレムに入った。そこで彼女はスルタンの寵愛を受け、後にはただ独りの皇后になった。そしてほぼ四〇年にわたって国政に強い影響力を行使した。またスルタンと彼女との間に生まれたセリムは後継スルタンとなった。コンスタンティノープルに駐在したヴェネツィアの歴代大使は、報告の中で彼女を「ロクソラーナ」と呼んだ。それはルーシ女という意味のラテン語であったが、彼女は後世その名で呼ばれることになった。ウクライナでは彼女は伝説的な人物であり、オペラや劇が作られた。

いずれにせよ、この時代においても遊牧民が攫った人々をクリミア南岸の諸都市を通じてコンスタンティノープルや中近東に奴隷として売るという、この地の古くからの伝統が継続されている。また人攫いの横行により、ステップの北の農村地帯は人口希薄になってしまった。そしてこの潜在的には豊かであるが、危険で人口希薄な地に台頭してきたのが次章で述べるコサックである。

クリミア汗国は一七八三年エカテリーナ二世の命を受けたポチョムキンによって滅ぼされたが、首都バフチサライの宮殿はいまでも残っている。私も同地を訪れたが、現在ヨーロッパ化しているクリミアの山峡《やまあい》に純イスラム風の木造の宮殿が忽然《こつぜん》と現れるのを見て何か魔法にかかったような不思議な感覚にとらわれたものである。一九世紀はじめここを訪れたロシアの詩人プーシキン(一七九九〜一八三七)もこの宮殿のエキゾティックな雰囲気に魅せられ、捕らわれて汗のハーレムに入れられたポーランドの姫君の悲劇を描いた叙事詩『バフチサライの泉』(一八二三年)を作った。この詩はそのロマンティックな調べの美しさから発表当時から現在に至るまで人々に愛されている。その一節を紹介しよう(川端香男里訳)。

北の国をついに見捨てて、
饗宴の楽しみも久しく忘れ、
忘却のうちにまどろめる宮殿を
私はバフチサライに訪ねた。
おし黙った回廊の間を私はさまよった、

諸国の民の鞭《むち》たりし
狂暴なタタール人が宴を張り、
襲撃の恐怖を与えたのちに、
華やかな無為に沈んだあたりを。
今にいたるもなお、逸楽の気がただよい、
水はたわむれ、バラは赤らみ、
ぶどうのつるはもつれ、
壁の上には金の光が輝く。
私は年ふりた格子を見た、
その華やかなりし時は、そのかなたで
琥珀《こはく》の数珠《じゅず》をまさぐりながら
静寂のうちに妃たちが溜息をついていた。

ウクライナの語源

「ウクライナ」という言葉自体がウクライナ人のプライドとの関連で問題を提供している。これまでロシア（ソ連）史をベースとした学説は、ウクライナのもともとの意味は「辺境地帯」であるとしていた。辺境とは、当時のポーランドやリトアニアから見ての辺境である。しかし現在ウクライナでは、当時ウクライナという語には必ずしも辺境という意味はなく、単に「土地」（英語でいう「ランド」）または「国」を意味する語であったという説が出ている。それは、ウクライナという語が最初に現れる以下の文献の用例から見て辺境を意味する言葉としては辻褄《つじつま》が合わないし、いずれにせよ自分たちの土地や国を誇りをもって辺境と呼ぶことは考えられないとするものである。

「ウクライナ」という語の語幹にあたる 'krai' という語は、もともとスラヴ語で「切る」とか「分ける」という意味であった。現在のロシア語・ウクライナ語でも 'krai' という名詞は、「端《はし》」、「地方」、「国」という意味を有している。「ウクライナ」という語が文献に現れてくるのは、一二～一三世紀である。『キエフ年代記』は、一一八七年ペレヤスラフ公国のヴォロディーミル公が死んだ際、「ウクライナは彼のために悲しみ嘆いた」と述べた。また同年代記は、ある公が「ハーリチのウクライナ」に着いたと記している。また『ハーリチ・ヴォルイニ年代記』は、一二一三年、公になる前のダニーロが「ブレスト、ウフレヴスクなどすべてのウクライナを再統一した」と記している。確かにこれらの用例から見れば、「ウクライナ」は、「辺境地帯」というより単に「土地」とか「国」を表す普通名詞であったと考えたほうが自然に思われる。また、たとえそれが辺境という意味の言葉から発生したとしても、それはモスクワないし後のロシア帝国から見ての辺境という意味で生まれたのではなかったことは確かである。一二～一三世紀のモスクワ地方は同様な、あるいはそれ以上の辺境であった。

さて一六世紀になると「ウクライナ」ははじめて特定の地を指すようになる。コサックの台頭とともに「ウクライナ」はドニエプル川両岸に広がるコサック地帯を指すようになった。たとえば一六二二年コサックの指導者（ヘトマン）、サハイダチニーは、ポーランド王宛ての手紙で、「ウクライナ、われらの正統で永遠の故国」、「ウクライナの諸都市」、「ウクライナの民」などの表現を用いている。そしてコサックの下では「ウクライナ」は祖国という意味を込めた政治的、詩的な言葉となり、コサックの指導者の宣言や文書にはそのような意味で使われる「ウクライナ」が繰り返し出てくる。

一九世紀になりロシア帝国がウクライナの大部分を支配下に置く頃には、「ウクライナ」は現在のウクライナの地全体を表す言葉になる。しかし当時ロシア帝国はウクライナの地を公式に表すのに「小ロシア」という語を用いた。一九世紀のウクライナの国民詩人シェフチェンコは、「小ロシア」を屈辱と植民地的隷属の言葉として排除し、「ウクライナ」をコサックの栄光の歴史と国の独立に結びつけて使った。

「ウクライナ」が短期間なりとも独立国家の正式名称として使われるためには、なんと一九一七年ウクライナ民族主義者により「ウクライナ国民共和国」の樹立宣言がなされるときまで待たなければならなかったのである。

なお、英語ではウクライナは'Ukraine'であり、現在の国名も冠詞なしの'Ukraine'である。しかし'the Ukraine'と冠詞をつけると、普通名詞の「辺境地帯」に定冠詞をつけて安易に固有名詞化したようで安直な感じがするのであろうか、あるいはロシアかソ連の辺境地帯として軽んずるような語感があるのであろうか、現ウクライナ政府やナショナリストはこれを好まない。実際、ウクライナ政府は外国政府に対しても'Ukraine'と書くときには冠詞をつけてくれるなという。確かにウクライナや欧米の学者が書くウクライナ史は、"History of Ukraine"であるが、ソ連時代にロシア中心主義の観点から書かれたウクライナ史は、"History of the Ukraine"となっている。

第四章　コサックの栄光と挫折

コサックの生い立ち

一五世紀頃からウクライナやロシアの南部のステップ地帯に住みついた者たちが、出自を問わない自治的な武装集団を作り上げた。「コサック」（ウクライナ語ではコザーク、ロシア語ではカザーク）とはその集団や構成員のことである。

一三世紀中頃のキエフ・ルーシ解体の後、南のステップ地帯は荒れ果て、人口が希薄になっていった。強大を誇り、ステップを支配していたキプチャク汗国も一四世紀末頃より衰退していき、一五世紀末～一六世紀初頭には解体して、クリミア汗国などいくつかの汗国に分裂した。またそれらの汗国に十分服属しないノガイ・タタールなどの遊牧民がステップ地帯に跳梁し、ルーシ人の町や村を襲って奴隷狩りを行うようになって、この地帯はますます無人の地となっていった。たとえば一四五〇〜一五八六年に八六回のタタールの襲撃があったと記録に残されている。

ところが、ウクライナと呼ばれるようになるこのフロンティアは、危険ではあるが、それ以上に豊かで、魅力のある土地でもあった。一五世紀にはすでに北西の人口過密地帯からドニエプル川やその支流に魚、野牛、馬、鳥の卵などを求めて来る者があった。最初に来た者はポーランド・リトアニア領内の貧しい下級地主や町民であった。そして彼らは、はじめは数日のみやってきたが、そのうち夏の全期間滞在するようになった。また夏の期間だけ農業をする者も出てきた。そして夏が終わると魚、獣皮、馬、蜂蜜をもって家に帰った。しかしその帰途役人に分け前を取られることとなり、これを嫌って、ついには勇敢な者たちは冬も帰らないようになった。

辺境地帯が豊かだという噂は尾鰭《おひれ》をつけて広がった。一六世紀の文献は、この地の土壌は肥えているので百倍の収穫がある、畑で鍬を忘れて三〜四日すると草の生長が早いので鍬を見失ってしまう、蜜蜂は古木だけでなく洞穴にも蜜を溜めるので蜜の泉が当たり前にある、刀を水に立てるとあまりに魚が多いので刀は垂直のままである、春に野鳥の卵を採りにいくと鴨、雁、鶴、白鳥の卵で船が満杯になる等の誇張した話を伝えている。いずれにせよこの辺境の地がどのように見られていたかがわかる。

危険を顧みず、自由と豊かさのために居残った者たちは、タタールの奴隷狩りに備えて自衛する必要が生じた。こうして一六世紀はじめまでに彼らは武装し、組織を作っていった。彼らは武力を身につけると、今度はタタールを襲うようにもなった。タタールの家畜を盗み、トルコ人やアルメニア人の隊商を襲った。またクリミア汗国やドナウ河口地帯のオスマン・トルコ帝国内の町や村を襲った。タタールがしてきたことを学んだわけである。彼らがタタールと異なっていた点は、正教の擁護者を任じ、クリミア汗国で奴隷にされていた正教徒のルーシ人を解放することにも熱心だったことである。そしてこうした者たちが「コサック」と呼ばれるようになった。コサックという言葉は、トルコ語で「分捕り品で暮らす人」あるいは「自由の民」を意味し、以前からポロヴェツ人の間で使われていた。もともとは遊牧民族のタタールに対して使われたが、後に同じようなことをするスラヴ系の人たちに対しても使われるようになったものである。

タタールに対する戦いと冒険的生活は多くの者を惹きつけた。前章で述べたようにポーランド・リトアニアでは領主の農民に対する締めつけが厳しく、それに堪えられない者が逃亡してコサックに加わった。また冒険心から加わった貴族・町人もいたし、モルダヴィア、ユダヤ、トルコ、タタール人などスラヴ系以外の者たちも加わった。

コサックの中にはリトアニアやポーランドの国境の守備隊や大領主の私兵として仕える者

もいた。ドニエプル川の中・下流にはチェルカッシ、カーニフ、チヒリンなど彼らが住む町がいくつもでき、これらは「コサックの町」と呼ばれた。一六世紀末までにコサック町は王に任命された「ヘトマン」によって率いられた。後にヘトマンはコサック全体の首領としてコサック自身により選ばれるようになるが、当初は多くが王に任命された貴族であった。そして政府の役人でもあるヘトマンに率いられたコサックがしばしばタタールを襲った。

ウクライナのスラヴ人に対して使われたコサックという言葉が文献上最初に現れるのは一四九二年のことである。それは、キエフとチェルカッシの者たちがタタールの船を略奪したとクリミアの汗がリトアニア大公に抗議し、同大公はウクライナのコサックを調べると約束したというものである。翌年ドニエプル河口にあるクリミア汗国のオチャキフ要塞を破壊したチェルカッシの代官とその配下をクリミアの汗は「コサック」と呼んでいる。

コサック町では満足できず、より大きな自由を求めてドニエプル下流に住んだ者たちは、「シーチ」と呼ばれる要塞化した拠点を作った。それが次第に発展して一五三〇年頃に、タタールからもポーランドの役人からも安全なドニエプル川下流の急流の向こうにある川中島に主要なシーチが作られた。「早瀬の向こう」という意味の「ザ・ポロージェ」(ウクライナ語名ザポリッジア)が地名となり、その拠点は「ザポロージェ・シーチ」、そこのコサックは「ザポロージェ・コサック」と呼ばれるようになった。そのうちにザポロージェがウクライナのコサックの中心地となり、またロシアの辺境のドン・コサックなどと区別するためにウクライナのコサック全体がザポロージェ・コサックとして知られるようになった。

政治的勢力へ成長

コサックの数が増大し、その軍事力が高まるにつれてその「遠征」も大規模になり、船団を組んで遠くコンスタンティノープルや小アジアの海岸の町をも襲うようになった（これはキエフ・ルーシ公国時代のルーシ人がしていたことと同じである）。前述のようにクリミア汗国やオスマン・トルコはたびたびコサックの害についてポーランドに抗議している。またコサックは、ポーランドのためにモスクワ公国などとも戦って勇名をはせた。そして一七世紀初頭にはドニエプル川の中・下流地帯に確固とした勢力を築き上げた。こうしてコサックは近隣から恐れられると同時にキリスト教世界とイスラム教世界との境界線に位置する一つの政治・軍事勢力として諸国からも一目置かれるようになった。

コサックが強くなると、それを利用しようとする勢力も現れた。神聖ローマ皇帝やローマ法王は、反オスマン・トルコ十字軍を起こすためにコサックに使節を送ったこともあった。結局この企ては実現しなかったが、コサックをもっとも頻繁に利用したのはポーランド王であった。

まずタタールやトルコからポーランド本土を守る盾となった。またポーランドでは貴族の力が強く、戦争をするにも王が戦費を調達するには貴族の支配する議会の承認を得なければならなかった。しかし議会はなかなか王の戦争を承認しなかった。そのため王は貴族に依存しない即戦力としてコサックに目をつけ、モスクワ公国、オスマン・トルコ帝国などとの戦争においてコサック軍にずいぶん頼った。

他方コサックの扱いは難しいものであった。コサックがクリミアやトルコを襲うのも度を過ぎれば、クリミアやトルコが堪忍袋の緒を切り、その矛先をポーランド自体に向けてくる惧《おそ》れがあるのでほどほどに統制しないといけない。しかしコサックは独立不羈《ふき》の精神が強く、たやすく命令を聞こうとしない。またコサックは自分たちがポーランドの正規軍人に比して待遇が悪く、さらに自治を政府が尊重してくれていないとして不満をもっており、反乱を起こしかねない。強すぎても弱すぎても困る存在なのである。

このような過程から、一五七二年、ポーランド王が考え出したのが登録制度である。登録したコサックには王の軍人としての地位を認め、その軍務に対する給料を払うこととし、その代わりコサックは王の統制に従うとするものである。また、コサックが自分たちで自分たちの指導者を選び、裁判は同僚によって裁かれ、コサックの土地所有が保証された。この登録制度により、とくに登録コサックの数を操作（最初の三〇〇人から、一六三〇年には八〇〇〇〇人に増加した）することにより、ポーランド王は安い軍事力を確保すると同時にコサックをある程度統制下に置くことに成功した。コサックにとっても登録自体は歓迎すべきものであったが、登録数が限られていたので、それ以来登録数の増加がコサック側の不断の要求となり、王とコサックの間の争点となった。また土地の所有権をもつことになった登録コサックが地主化・保守化し、現状破壊を望む未登録の貧しいコサックとの間で利害が衝突することにもなり、これも後にコサック社会の深刻な問題となった。

組織と戦闘方法

大部分のコサックは平時にはドニエプル川を中心とした地域の町や村に家族と一緒に住み、農業を営んでいた。畑を耕しながらも銃や剣は手放さなかったようだ。春と夏は数千人がシーチに向かい、そこを拠点として戦争・略奪のための遠征や漁労、狩猟に従事した。コサック軍団の中心となったザポロージェ・シーチは、前述のとおりドニエプル川の川中島にあり、土塁や木の塀に囲まれていた。男のみが入ることを許され、中央には広場があり、教会、学校、武器弾薬庫、幹部の家などがあった。シーチの人口は通常五〇〇〇～六〇〇〇人で、最盛時には一万人にもなった。シーチの外には市場（バザール）があり、ユダヤ人など非コサックの店が並んでいた。冬には数百人をシーチに残して大部分が町や村に戻った。

ザポロージェ・シーチの政治は平等の原則によって行われていた。軍事行動（戦争や略奪のための遠征）や外国との同盟などの重要事項は「ラーダ」と呼ばれる全体会議で決められた（なおラーダは現独立ウクライナの議会の名でもある）。コサックたちは毛皮の帽子を挙げたり、投げ捨てたり、そして大声を出して同意や反対の意思表示をした。コサックの首領であるヘトマンは、初期にはポーランド王によって任命されたが、後にはラーダ出席の全員によって選ばれた。いったん選ばれるとヘトマンは、とくに軍事面では独裁的な権限を行使した。同僚を死刑にする権限ももった。もっとも、戦いで敗れた後、指揮において誤りがあったとしてヘトマンが死刑に処されることもあった。ヘトマンの下には長老グループ（スタルシーナ）があり、コサックの組織はヘトマン、スタルシーナ、ラーダの三つからなっていた。コサック軍は一〇人よりなる小隊、一〇小隊よりなる中隊、五中隊すなわち五〇〇人で構成する連隊よりできていた。一五九〇年代コサック軍全体の数は二万人といわれた。

コサックは、建て前として、戦う目的を正教の擁護、ウクライナ人の保護、コサックの自由と自治の擁護などに置いていたが、一六世紀のポーランドの文献によれば、戦争の前に志願兵を募るために各村、各町を回ったコサックの使者は、「キリスト教の信仰のために串刺しにされたい者、十字架のために引き裂かれたい者、極刑の苦しみに直面したい者、死を恐れない者は我々とともに来たるべし」との檄《げき》を掲げていたとのことである。

コサックは陸上のみならず、海上の軍事行動でも優れていた。前章でも引用したボープランは、コサックの行う海戦の模様を次のように記している。

コサックは海に遠征しようと思うと、王の許しを得ず、ラーダで決める。彼らは長さ約一八メートル、幅三～三・六メートル、深さ約三・六メートルの竜骨のないチャイカ（かもめ）と呼ばれる木の船を作る。逃げ足を早くするため舵《かじ》を船の前後につける。片側一〇から一五の櫂《かい》をつけて漕ぐが、トルコのガレー船より速い。タタールに対する大遠征をする際には、六〇人がかりで二週間のうちに八〇～一〇〇隻の船を作り上げる。ひとつの船に五〇～七〇人が乗る。各人が二丁の銃と剣一振りをもつ。各船には四～五の小型大砲を積む。その他食糧、弾薬、四分儀を積む。コサックの船は三〇～四〇時間でアナトリアの海岸に達し、町を急襲し、略奪して、町を焼く。そして分捕り品をもって船に戻る。

コサックの船は水面から七〇～八〇センチメートルの高さしかないので、背の高いトルコのガレー船がコサックの船を見つける前に、コサック船がガレー船を見つける。コサックの船はマストを下ろし、西から近づき、ガレー船からは見えないが自分たちからは相手が見える距離を保って見張る。そして真夜中に全速力で漕ぎ寄せる。乗組員の半分は漕ぎ、半分は戦闘準備をする。ガレー船は突然八〇〜一〇〇隻の船に囲まれているのを発見する。こうしてガレー船は略奪され、分捕り品を取るとガレー船とその乗員は沈められる。

国民性と生活

コサックは亜麻布《あまぬの》製の長袖の上着を着、だぶだぶのズボンと皮製の長靴を履いていた。頭には毛皮の帽子を被っていた。長い鼻ひげを垂らし、頭髪は一房の毛を残して剃っていた。この剃り方はタタールの風習を真似たものといわれるが、同じアジアの遊牧民満州族の弁髪にも通ずるものがある。ただ前述のとおり、キエフ・ルーシ公国のスヴャトスラフ公も同様な髪形をしていたので、どちらを起源とするものかよくわからない。

コサックの国民性や生活についてはボープランがいろいろな描写をしているが、ここではそのいくつかを要約して紹介しよう。

彼らは非常に頑健で、暑さ、寒さ、飢え、渇きに容易に耐える。戦いには疲れしらずで向こう見ず、自分の命を惜しまない。彼らは才気があり、器用である。また美しい体軀をもち、はつらつとしている。そして健康で、高齢者以外病気で死ぬ者は少ない。もっとも、大部分のものは「名誉の床」すなわち戦場で死ぬ。キリスト教徒の中で彼らほど明日を心配しない術《すべ》を身につけているものはいない。彼らはそのとき飲み食いするものがあれば十分である。自由を愛するあまり反抗しがちであり、君主が彼らを手荒く扱うとすぐ反乱を起こす。したがって反乱なしで七、八年が過ぎることはまれである。

コサックの国民性と生活．銃と酒を手放さなかったという．

世界の諸民族の中で彼らほどの飲兵衛《のんべえ》がいるとは信じられない。しかしそれも暇なときの話で、戦争や何かの企てがあるときは驚くほどしらふになる。

コサックの結婚式は次のように行われる。新郎側の女たちが新婦を真っ裸にして耳の穴や髪の中、指の間など体の隅々まで調べる。新しい純白の寝間着を着せ、二枚のシーツの間に寝かせて、新郎が来るのを待つ。女たちはカーテンを引き、式に参列した大部分の者が部屋に来て笛に合わせて踊り、手を打ち、杯をもって、新婦が喜びのサインを示すと集まった者たちすべてが飛び上がり、手をたたき、歓声をあげる。新郎新婦はシーツを彼らに渡し、そこに処女のしるしを見つけると家中が極度の喜びと満足の叫びに充たされる。

反対にもし名誉のしるしが出てこなかった場合には、皆は杯を床に投げつけ、女たちは歌うのをやめる。お祝いは台無しになり、新婦の両親は名誉を傷つけられる。式はただちに中止され、家の中で人は暴れ回る。新婦の母親に対して数々の野卑な歌が歌われ、壊れた杯で酒を飲ませ、娘の名誉を守らなかったとして非難する。そして最後にありとあらゆる罵詈《ばり》雑言を浴びせて各自家に帰る。新婦の両親は家に引き籠り、当分出てこない。新郎はそれでも妻として認めるか否かの選択権がある。もし妻とするなら、新郎はあらゆる中傷を覚悟しなければならない。

結婚式の翌日も愉快な行事がある。男たちは新婦がまとった着物の袖に棒を通し、それを裏返しにして、あたかも戦いの名誉のしるしを示す戦旗のごとく翻して厳かに通りを練り歩く。こうして村中が新婦の処女性と新郎の男性能力の証人となる。

先駆者サハイダチニー

一六世紀末以来、コサックは一方ではポーランド王にしたがい各地で戦うことによって政治的な地位を高めたが、他方では、王から与えられる待遇や領主からの搾取に対する不満からしばしば反乱を起こした。前者を代表するのが、最初の偉大なヘトマンといわれるペトロ・サハイダチニーであった（ヘトマン在任一六一四〜二二）。

サハイダチニーは小貴族の出身で、当時としては高い教育を受けたが、後にコサック軍に入った。彼は、冒険を求め、命知らずで、最初に攻撃をし、最後に退く人といわれた。また寡黙で自制心に富み、コサックが好きなどんちゃん騒ぎもしなかった。用心深く、野営中も警戒を怠らず、短時間しか眠らなかった。しかし部下の不服従の場合には死罪を与えることも躊躇《ちゅうちょ》しなかった。彼はコサック軍の軍規、階級、秩序を作り、コサック軍をゲリラ的な軍から正規軍に作り替えた。彼はポーランドのためにモスクワ公国やオスマン・トルコ、タタールとの戦いに参加し、コサックの地位向上を図った。とくに一六二一年、ウクライナ南部のホーティンで三万五〇〇〇のポーランド軍とともに四万のコサック軍を動員して一〇万のトルコの進撃を食い止めることに決定的な役割を果たし、ポーランドを危機から救うこととなった。ローマ法王は、このホーティンの戦士たちを、「世界の守護者で、最悪の敵に対する勝利者」と誉め讃えた。

サハイダチニーはまたウクライナの文化、教育と正教の振興に尽くした。モンゴルやリトアニアの下ですっかり寂れた田舎町に堕していたキエフは、彼のお蔭でウクライナの文化、教育の中心に復帰した。彼が庇護した正教非聖職者の団体「エピファニー同胞団」が、彼の死の一〇年後（一六三二年）にペチェルスク修道院長で後にキエフ府主教になったペトロ・モヒラ（ロシア語名モギラ、一五九七～一六四七）によって「キエフ・モヒラ・アカデミー」という学校に発展した。そのゆえもあって現在でもキエフ・モヒラ・アカデミーのキャンパスには彼の墓が残り、同アカデミーのあるキエフの下町ポディールのメイン・ストリートはウクライナの独立後の一九九二年に「サハイダチニー通り」と名づけられた（ちなみにこの通りは、ロシア革命前はアレクサンドロフスカ通り、革命後一九一九年には革命通り、一九三四年にはジダーノフ通りと変わっていた）。

キエフ・モヒラ・アカデミーは正教の教育機関ではあるが、当時隆盛であったイエズス会の学校をモデルとし、古典とくにラテン語、ギリシア語の教育に力を入れた。後にこの学校はウクライナだけでなくロシアも含めたスラヴ社会におけるもっとも重要な正教の教育機関となり、優れた聖職者や学者を輩出した。ピョートル大帝（在位一六八二～一七二五）の近代化改革を支えた人材の多くは同アカデミーの卒業生であったし、ロシアのレオナルド・ダ・ヴィンチといわれるロモノーソフ（一七一一～六五）もここで学んだ。またマゼッパ（ヘトマン在任一六八七～一七〇九）をはじめ多くのコサックの子弟も学び、ウクライナのナショナリズムの拠点でもあった。

同アカデミーは一八一七年以来閉鎖されていたが、一九九一年のウクライナの独立後、同じ敷地、建物を使ってキエフ・モヒラ・アカデミー大学として復活した。現在同大学は、ロシア語を廃してウクライナ語を教育用語とするもっとも民族主義的な大学であるが、同時に自由、民主主義、市場経済といった西側の価値観を意欲的に吸収しようとしているもっとも開かれた大学でもある。私が同大学の創立者でもあるブリュホヴェツキー学長から聞いたところでは、学生に対し将来何になるかとアンケートをとったところ一一%の学生がウクライナの大統領になると答えた由である。何と意気軒昂なことであろうか。

さて、一六二二年のサハイダチニーの死後、何人かのヘトマンがポーランドに対して反乱を試みたが、ヘトマンたちに長期的な政治目標と戦略がなく、また内部抗争もあり、いずれも鎮圧された。一六三八年最後の反乱が鎮圧されるとその後一〇年間ポーランドは「黄金の平和」を謳歌した。コサックの自治は制限され、登録コサックの数も大幅に削減された。その代わりポーランド大貴族の圧制が強まり、コサックや農民の不満が鬱積《うっせき》されていった。

なおこの一六三〇年代ポーランドに対する反乱の時代のコサックをロマンティックに描いたのが、ニコライ・ゴーゴリ（一八〇九～五二）の名作『隊長ブーリバ』（原題『タラス・ブーリバ』一八三五年）である。ゴーゴリ自身もウクライナのコサック小地主の末裔であった。ポルタヴァ県ソロチンツィ村には彼の生まれた家がいまだに残っている。一九世紀末の作曲家ミコラ・ルイセンコ（一八四二～一九一二）はこれにもとづき同名のオペラを作曲したが、ウクライナ民族主義を鼓舞するとして第一次世界大戦後まで上演を許されなかった。

フメリニツキーの蜂起

ウクライナのみがキエフ・ルーシ公国のヴォロディーミル聖公やヤロスラフ賢公を独占できないとすると、ウクライナ史最大の英雄はボフダン・フメリニツキーということになろう。フメリニツキーは、組織者、軍司令官、外交官としての卓越した能力をもってウクライナの歴史の中ではじめて自分たちの国家（もしそれが完全に独立した国家とはいえなくても実質上国家といえるもの）を作り上げた。しかし他方、彼がモスクワと結んだ保護条約がウクライナをロシアに併合されるきっかけをつくったとして彼をウクライナの裏切り者とする非難もある。ウクライナの運命を変えた男、フメリニツキーはどのような人物であったろうか。

ボフダン・フメリニツキーは、一五九五年ドニエプル中流の町チヒリン近郊にあるスボティフにある父の領地で生まれた。彼の父は、登録コサックで、小領主であった。フメリニツキーはウクライナで初等教育を受けた後、西部のイエズス会の学校で中等・高等教育を受けた。『カルメン』『コロンバ』などの作品で知られるフランスの作家プロスペル・メリメ（一八〇三〜七〇）はコサックの大ファンで、フメリニツキーの伝記を書いているが、その中で次のように述べている。

フメリニツキー像．後方に見えるのはミハイル聖堂．

けっして自己の考えを外に現わさないような容貌を作ることや、他人の考えを見抜くことや、人心を収攬《しゅうらん》することや、彼がよく好んで用いた秘訣を習得したのは、これらの教父たちの学校においてであったという。……彼は通常使用している生れ故郷のスラヴの地方語のほかに、ポーランド語、ロシア語、トルコ語、ラテン語を自由自在に話した。

（メリメ著『ボグダン・フメリニーツキー』）

故郷に帰った後、一六二〇年彼は父に従ってモルダヴィアでの戦いに従軍し、父は戦死したが、自身は捕虜となってコンスタンティノープルに二年間捕らわれの身となった。母が身代金を払って解放されたが、その間、トルコ語を学び、トルコ、タタール事情に精通するようになった。一六二二年の帰国後、登録コサックとなり、またチヒリンのコサックの隊長をつとめた。一時ザポロージェ・コサックのナンバー・ツーである総書記となったとする文献もある。その後領地経営に専念するようになったが、その間にもコサックの交渉団の一員としてワルシャワに赴き、その際に示した指導力によりポーランド王からも高い評価を得た。ただここまでは、領地の保全を図りつつ余生を過ごそうとする功成り名遂げた長老コサックの典型的な前半生であった。

しかしフメリニツキーの人生は五〇歳を過ぎて一変した。それは彼の思ってもみなかったものであった。一六四七年、大貴族の庇護を受けていたポーランド貴族でチヒリンの副代官チャプリンスキがフメリニツキーの土地の所有権を主張した。チャプリンスキはフメリニツキーの領地を襲い、その末子を殺し、また彼が再婚しようとした寡婦を拉致《らち》した。フメリニツキーは土地の法廷、ポーランドの議会、ポーランド王などあらゆる平和的手段に訴えたが、いずれも彼を助けてくれず、逆に彼はチヒリンの代官に逮捕されてしまった。同年一二月友人の計らいで牢から脱出したフメリニツキーは、ポーランドに対する反乱を決意し、ザポロージェ・シーチに逃れた。彼の雄弁は短期間でコサックたちを動かし、一六四八年一月ヘトマンに選出された。彼は普段は控えめで気取らず、丁寧であったが、感情が高揚したときに行う演説は人を陶酔させたという。

当時ポーランド貴族のウクライナへの進出はドニエプル川流域まで進み、自由民として新開地に移住したはずの農民たちは農奴化されていくことに反抗心を募らせていた。また一六三八年の大敗北以来コサックの権利は大幅に抑えられていたので、コサックも不満を鬱積させていた。かかるときにフメリニツキーによってなされた反乱への呼びかけは、ガスで充満した部屋にマッチを投げ込むようなもので、またたく間にコサック、農民がフメリニツキーの幕下に馳せ参じた。

フメリニツキーはポーランドと戦うためにはコサックの力だけでは十分でないと考え、従来の発想を転換して年来の敵クリミア・タタールとの同盟を求めた。タタール側もポーランドとの関係が悪化していたので、コサックの求めに応じた。こうしてコサック・タタール連合軍九〇〇〇は、一六四八年五月ポーランド軍六〇〇〇を破った。夏の終わりにはフメリニツキーの軍は八万〜一〇万に膨れ上がっていた。九月には再び八万のポーランド軍を破って一〇月には西部に進軍し、ワルシャワ近くまで迫った。コサック軍はポーランドを粉砕する寸前までいったが、新しく即位したポーランド王ヤン・カジミエシ（在位一六四八〜六八）が、コサックの伝統的権利は認める、コサックは王にのみ従い土地の貴族には従わないなどの条項を約束するとして和平を呼びかけると、後世の史家が不思議がるようにフメリニツキーはこれに応じてキエフへ帰ってしまった。この時点までは、彼はポーランドの枠内での自治や、コサックの権利向上で満足し、また王の誠意と実行能力を信じていたのであろう。

ヘトマン国家の形成

フメリニツキーは大歓声の中キエフに凱旋した。キエフ府主教やそのときたまたま同地に滞在中のエルサレム総主教から、彼は「ポーランドへの隷属からルーシを解放した者」、「第二のモーゼ」と讃えられた。フメリニツキーは、はじめは自分自身になされた不正に憤って戦ったが、今は正教のため、ルーシの人々をポーランドから自由にするために戦うと述べ、この経験をきっかけに新しい役割を自覚するようになった。

同年夏フメリニツキーはポーランド軍をズボリフで包囲し、屈服させ、ズボリフ休戦協定を結んだ。同協定で、登録コサックを四万人に増やすこと、ウクライナ（当時はキエフ州、チェルニヒフ州、ブラツラウ州のことをいった）はコサック領とすること、したがってウクライナからポーランド軍、ユダヤ人、イエズス会を排除すること、正教府主教はポーランド議会に議席をもつことなどを取り決めた。これは大きな勝利であり、ここから「コサック国家」ないしは「ヘトマン国家」（ヘトマンシチーナ）が形成されることになった。

ヘトマン国家はキエフ、チェルニヒフ、ブラツラウ三州を中心とし、ドニエプル川の左右両岸にまたがって約二五万平方キロメートルの地域、約一五〇万の人口を支配した。ヴォルイニ、ハーリチナは依然としてポーランド領であった。ヘトマン国家といっても、コサック

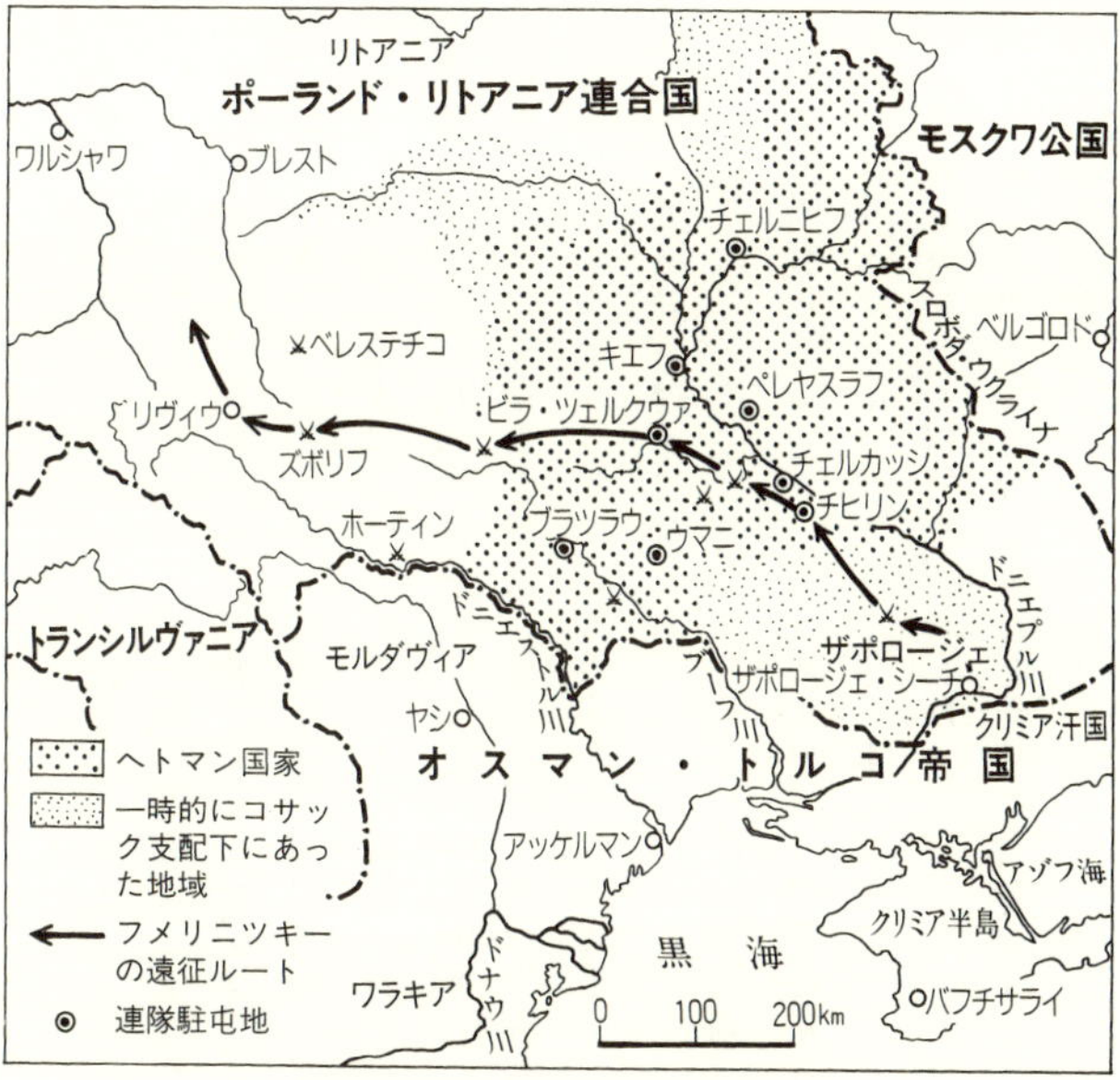

フメリニツキーの遠征ルートとコサックの勢力圏.

の軍事組織が発展したもので、有事のみならず平時の統治も行うようになったものである。領域は一六の連隊区に分かれ、連隊長が各連隊区の軍事・民生を統括した。連隊長の下には中隊長がいて中隊区の軍事・行政を行った。ヘトマンは参謀部（ヘネラルナ・スタルシーナ）の幕僚たちの補佐を得て統治を行った。ウクライナの主要都市はキエフでありつづけたが、ヘトマン国家の首府はフメリニツキーの司令部のあるチヒリンであった。ヘトマン国家ができたことから、ザポロージェ・シーチはコサックの中心としての地位を失った。

政府の長であるヘトマンは、理論上は彼を選出した全体会議（ヘネラルナ・ラーダ）に従うことになっているが、コサック数の増加とともにラーダは次第に開かれなくなり、ヘトマン、参謀部幕僚、連隊長などで構成する長老会議（ラーダ・スタルシン）を重視するようになった。長老は、当初は選挙で選ばれたが、次第に世襲化し、貴族化していった。ただ一般に社会階層間の境界はあいまいであり、農民がコサック連隊に登録すれば、自費で軍務につく義務はあるが、税は免除され、土地所有も可能で、役職者の選挙にも参加できた。そして軍務を果たせなくなると農民に戻った。ヘトマン国家の下で自由民に戻った農民は、農奴に戻されないようコサックになろうとした。したがって一七世紀半ばには人口の半分はコサックであったと推定されている。

その後一六五一年にはポーランドとの戦いが再開した。六月ベレステチコでの戦いでは、決定的な瞬間にコサックの同盟者タタール軍が戦場を離れてしまった。それを引き戻そうとしたフメリニツキーは逆にタタール軍に拘束されてしまい、なぜ司令官が消えてしまったかわからないコサック軍は総崩れとなった。タタールはポーランドに買収されていたらしい。フメリニツキーは後に解放されたが、九月ビラ・ツェルクヴァで結ばれた休戦協定では、登録コサックの数を二万人に減らすこと、ヘトマンの統治範囲はキエフ州のみとすることなどの譲歩を強いられた。翌年フメリニツキーは反撃を試み、バティフでポーランド軍に大勝したが、交渉面では大きな前進はなかった。その後は双方とも疲れ、決定的な勝敗がないまま小競り合いが続くこととなった。

フメリニツキーは、ヘトマン国家を守るためには自力だけではポーランドに対抗できず、外国の支援が必須と考えていた。タタールとの同盟は初期の勝利を得るのに決定的な役割を果たしたが、タタールは先のベレステチコの戦いでも見られたように信頼性が低く、タタールだけに頼るわけにはいかなかった。フメリニツキーは、オスマン・トルコ、クリミア汗国、モルダヴィア、トランシルヴァニアなど近隣国とポーランド包囲同盟を作ろうとした。一時はトルコの宗主権を認めその保護国となったが、トルコの支援は当てにならない上、異教徒の保護下に入ることは正教徒である一般コサックにはきわめて不評だった。また長男ティミッシュをモルダヴィア公の娘と結婚させ同盟を固めようとしたが、ティミッシュの戦死でこの同盟構想は頓挫した。当時イギリスで独裁を布いていたクロムウェル（一五九九〜一六五八）とも接触したという。

モスクワの保護下に

このようにフメリニツキーは外国との同盟や保護を求めてありとあらゆる可能性を探った。

しかしそのほとんどが実を結ばず、約束ができても信頼性がなかった。その中で唯一長期的な重要性をもったのは、ツァーリの下にあるモスクワ国家との保護協定だった。同じ正教徒ということで、モスクワの庇護を求めるという考えは一般コサックには好評だった。モスクワは当時まだそれほど強力ではなく、強国ポーランドとの対決を避けたいと思っていたので、フメリニツキーからの申し出に最初は慎重だった。しかしフメリニツキーの勝利でポーランドも不敗ではないと気がつき、ついに同意した。その同意の背景には、かつてポーランド・リトアニア連合国に奪われた領土を回復し、ウクライナをモスクワとトルコとの緩衝国としようとの思惑があったといわれる。一六五四年ペレヤスラフの町で協定が結ばれた。同協定は原本が紛失しており、不完全な翻訳しか残っていないが、ウクライナ史の専門家のなかには、それさえもモスクワに都合のいいように改竄《かいざん》されているとする者もいる。

いずれにせよ、残っているその翻訳によれば、同協定は、コサックとウクライナ人はツァーリに忠誠を誓うこと、ツァーリはウクライナに軍事援助を行うこと、コサックは自らヘトマンを選ぶが事後モスクワに通報すること、ヘトマンとザポロージェ・コサックは外国使節を受け入れることができるが、紛争になりそうな件はツァーリに報告すること、登録コサックの数は六万人とすること、ウクライナ貴族は伝統的な権利を認められること、ウクライナの正教徒はモスクワ総主教の祝福の下にあるが干渉は受けないことを定めた。

ロシア・ソ連とウクライナの間でこの協定ほど評価が分かれているものはない。ソ連政府やロシアの史家は、ロシア人とウクライナ人はもともと一つの民族であったが、モンゴル、リトアニア、ポーランドなどの支配により隔てられてわずかに異なった民族となったにすぎず、両民族はかねてから統合を望んでいた、それが自然な流れとしてこの協定に結実したものであり、同協定はロシア・ソ連史上の金字塔であるとしている。これに対してウクライナの史家は、同協定はフメリニツキーが盛んに試みて、できては消え、消えてはできた幾多の同盟・保護の約束のひとつにすぎず、いわば短期的な軍事同盟であって、フメリニツキーもコサックもウクライナの運命をモスクワに永久に託したものとはまったく考えていなかった、現にフメリニツキーはモスクワの高圧的なやり方に幻滅し、スウェーデンなどと組んでモスクワから離れようとしたが、志半ばで死んだためその意図が実現されなかったとしている。歴史的な事実関係を検証すれば、ウクライナ側の解釈が妥当であり、ウクライナは自治を守るためにこそモスクワの保護を求めたのであり、モスクワも締結当時は併合までは考えていなかったはずである。だが事後的に見れば、同協定がウクライナ史の転換点となり、ウクライナがロシアに併合される過程の第一歩となったことは否定できない。

それにしても、フメリニツキーのコサック国家は当時事実上の独立国を形成していたのに、なぜあえて外国の庇護を求めなければならなかったのかという疑問を禁じえない。これについて現代のウクライナ史学者スブテルニーは、一七世紀の東ヨーロッパでは国家の主権の観念はまだ存在しておらず、あったのは正統な君主個人に主権があるとの考えであり、その点フメリニツキーには人気はあったが、かかる正統性はないので、やはり外部に君主を見つけざるをえなかったとしている。また同じく現代のウクライナ史学者マゴチは、この時代独立を維持するためには中央集権国家を作らざるをえず、コサック幹部の中にはかかる方向でしっかりした政府組織を作ろうとした者もいたが、一般コサックやザポロージェ・コサックは何者にも拘束されない社会を維持することを望んでいたので、この対外的な安全と国内的な自由を両立させるためには自治を前提として大国の枠内に入る他はなかったとしている。

ペレヤスラフ協定は、ウクライナにとっては結果的には破滅の第一歩となったが、モスクワ国にとっては帝国への道を歩みだす大きな一歩となった。この協定以来ツァーリの称号は「全ルーシのツァーリ」から「全大ルーシおよび小ルーシのツァーリ」と変わった。大ルーシとはロシアを、小ルーシとはウクライナを指す言葉である。

フメリニツキーの最期

ウクライナがモスクワ側についたことを知ったポーランドはタタールと結んだ。一六五四年、モスクワ・ウクライナ連合軍はベラルーシでポーランドと戦った。この戦いの間、同盟軍であるウクライナとモスクワとの間には多くの争いがあった。それだけでなくモスクワは、ウクライナを新たに獲得した領土とみなしていろいろ介入してきた。フメリニツキーはモスクワと手を切るべきだと判断した模様である。その頃ウクライナとの戦いで弱まったポーランドにはスウェーデンが侵入した。スウェーデン王カール一〇世（在位一六五四～六〇）はフメリニツキーに対し、モスクワの専制君主制は自由民を許さず、コサックを農奴化し、ウクライナの独立とも相容れないものだとして、モスクワと決別するよう説得した。

一六五六年、フメリニツキーの知らないうちに、不倶戴天の敵だったはずのモスクワとポーランドは和平協定を結んだ。ポーランドは、目下の主要な敵スウェーデンを弱めるため昨日の敵モスクワと結んでモスクワがスウェーデンと戦うように仕向けたものである。モスクワも、ウクライナがスウェーデン側に傾いてきたのを察知してポーランドと手を結んだのである。ポーランドから守ってもらうためにモスクワの保護国となったのに、そのモスクワがポーランドと結んだことにフメリニツキーは怒った。彼はツァーリ宛てにこれはペレヤスラフ協定違反だと非難する手紙を書いている。フメリニツキーはスウェーデンおよびトランシルヴァニアとかたらってポーランドを攻めるが失敗する。この失敗のさなか、一六五七年彼は病いにより死去した。

フメリニツキーがウクライナの命運を決する歴史の表舞台に登場するのは五〇歳を過ぎて

からであり、あまりにも遅すぎた。彼がその舞台で活躍したのはたかだか一〇年弱であり、彼の天才的能力をもってしても時間がなさすぎたといえよう。一九世紀ウクライナの国民詩人タラス・シェフチェンコは、フメリニツキーはウクライナをロシアに売ったと非難しているが、史上最初のウクライナ国家であるヘトマン国家を作ったのはフメリニツキーであり、後世ウクライナ再生のシンボルになったのも彼であった。

なおキエフの中心であるソフィア聖堂の前の広場は、一六四九年一月ポーランドを破って凱旋したフメリニツキーをキエフ市民が迎えた場所である。そこには一八八八年建立されたフメリニツキーの騎馬像がある。彼はソ連時代にはロシア・ウクライナ友好のシンボルであり、この広場も一九四四年以来ボフダン・フメリニツキー広場と命名されている。また独立後のウクライナでも彼は英雄であり、彼の肖像は五フリヴニャ紙幣に印刷されている。

「荒廃」の時代

フメリニツキーの死後約二〇年間は、モスクワ、ポーランド、トルコ、タタールを巻き込んだ戦争、右岸地方（ドニエプル川の西岸一帯をいう）と左岸地方（同じく東岸一帯をいう）に並列したヘトマンの対立抗争とコサックの反乱が頻発し、国土が荒廃した。この時代は「荒廃」（ルイーナ）の時代と呼ばれる。

一六六七年モスクワとポーランドが結んだアンドルソヴォ条約は、右岸はポーランド、左岸はモスクワの主権をお互いに認め合ったもので、ウクライナの分割を恒久的に確定した条約である。ザポロージェは双方の宗主権下にあるとされた。この条約によりモスクワがポーランドから守ってくれるとのペレヤスラフ協定は有名無実になった。

一六八六年ポーランドはモスクワによるザポロージェの単独宗主権を認めた。そして一七〇〇年ポーランドの議会は右岸ウクライナのコサック制度を廃止した。これにより右岸でのヘトマン体制は終わり、ポーランドが再び支配することになった。

フメリニツキーの時代までは、左岸ウクライナは新開地で人口希薄だった。ところが左岸ウクライナでは戦乱の被害が右岸に比べて少なく、荒廃は右岸ほどではなかった。そのため右岸から左岸に大量の移民が行われた。また左岸では自治を維持したヘトマン国家が長く存続した。このようなことからウクライナの中心は右岸から左岸に移った。ザポロージェはかつてのコサック活動の軍事的・精神的中心ではなくなった。

ペレヤスラフ協定はモスクワによる併合への第一歩であったが、他方コサックによる広汎な自治をも認めていた。右岸がポーランドの支配に入った後、残った左岸にはモスクワの宗主権下ではあるが、ヘトマン国家といわれる自治政府が一七六四年まで維持された。左岸ヘトマン国家の統治システムはフメリニツキー時代のそれを継承しているが、領域は三分の一となり、連隊区は一〇となった。首府は北部チェルニヒフ州バトゥーリンになった。

左岸ヘトマン国家の最大の問題はモスクワ公国、後のロシア帝国との関係であった。歴代ヘトマンはペレヤスラフ協定で決められた自治やコサックの権利を守ろうとした。しかしモスクワは、ツァーリそれぞれによる振幅はあったが、長期的に見れば一貫してウクライナの自治を弱め、間接支配を直接支配にもっていこうとした。そして形勢は明らかにモスクワに有利であった。モスクワおよびロシアでは英邁《えいまい》な君主が出て国力増進の途にあった。これに比してヘトマン国家の内部ではスタルシーナが貴族化し、一般コサックは農奴化の危機に瀕し、階級間対立が先鋭化していった。ロシアは一般コサックに肩入れし、彼らの反スタルシーナ感情を煽《あお》った。そして対立を深めた上で、ロシアが介入しないとヘトマン国家が動かないとの状況を作り出していった。モスクワに歯向かったヘトマンは捕らえられてシベリア送りになった。これではヘトマン国家が一丸となってモスクワにあたれるわけはなかった。

ヘトマン・マゼッパ

ウクライナ史でマゼッパほど毀誉褒貶《きよほうへん》の甚だしい人物はいない。ロシアやソ連の支配下では、彼は最大級の裏切り者となっていた。ウクライナの民族主義者たちからは、国の独立を求めた愛国者とされている。また最後に乾坤一擲《けんこんいってき》の大博打に出て挫折したことから悲劇の英雄ともされている。なおウクライナの独立後は、彼の肖像は新政府の一〇フリヴニャ紙幣に印刷されている。

イヴァン・マゼッパは社交能力抜群で、人に取り入ることの天才であった。彼はキエフに近いビラ・ツェルクヴァの小領主の家に生まれた。生年ははっきりしないが一六三四〜四四年頃といわれる。父はフメリニツキーの反乱に加わった。マゼッパはキエフ・モヒラ・アカデミーで学んだ後、ワルシャワで勉強し、そこでポーランド王ヤン・カジミエシの寵愛を得た。王の寵愛は、マゼッパのオランダ留学費用を負担するほどであった。留学中ドイツ、イタリア、フランスをまわり見聞を広めた。ワルシャワに戻ってからは王の臣となり、コサックに対する外交使節をつとめたこともあった。教養が高く、数カ国語を話したという。

しかし陰謀か恋愛事件に巻き込まれたらしく宮廷を辞し、一六六三年故郷に帰った。一六六九年右岸のヘトマンであったドロシェンコ（在任一六六五〜七六）の下で働くことになり、すぐに筆頭副官になった。一六七九年クリミア汗国に使節として赴く途次、ザポロージェ・コサックに捕らわれモスクワに送られた。ところがそこでも彼はモスクワ政府に気に入られ、逆に左岸のヘトマン・サモイロヴィッチ（在任一六七二〜八七）のところへ派遣された。彼は左岸でもヘトマンの筆頭副官になった。そして一六八七年サモイロヴィッチがモスクワの不興を買ってシベリアに送られると、その後を襲って左岸ウクライナのヘトマンに就任した。

一六八九年モスクワでピョートル一世（大帝、在位一六八二〜一七二五）が姉の摂政ソフィアを退けて実権を握ると、マゼッパはそれまでは摂政ソフィアの支持者であったが、すぐピョートルに乗り換え、しかもたちまちピョートルの信頼をかちとった。マゼッパは、黒海にアクセスを得ようとするピョートルの南下政策に協力し、幾年にもわたって兵を出した。あるコサック連隊長は、「ツァーリはそのうち天使よりもマゼッパを信ずるようになるだろう」といったという。ピョートルはマゼッパに気前よく領地を与えた。ついには二万カ所の荘園をもつまでに至り、ヨーロッパでも有数の大土地所有者になったほどであった。また一七〇五年ピョートルの命により右岸ウクライナに攻め入り、一時は左右両岸を支配して短期間ながらフメリニツキーの時代を再現した。

マゼッパは右岸の生まれで、もともと左岸に権力基盤がなく、一般コサックからはポーランド人とかカトリックとかいわれて人気がなかった。そのため、マゼッパを除こうとするコサック内の企みがいろいろあったが、それらをモスクワの力で乗り切った。彼は不人気を挽回する意味もあって、得た富を宗教、文化の振興に使った。左岸各地にはマゼッパ様式といわれる教会が建てられ、母校キエフ・モヒラ・アカデミーも支援した。そのため同アカデミーの登録者は二〇〇〇人に及び、同アカデミーの最盛期となった。またマゼッパは新約聖書のアラビア語版出版の資金援助もしたという。

マゼッパの肖像が印刷された10フリヴニャ紙幣.

ポルタヴァの戦い

しかしピョートルとマゼッパの関係は一七〇〇年が頂点であった。ピョートルは中央集権国家を作ろうとしており、ヘトマン国家のような中途半端なものは解消したいと思っていたので、ツァーリの好意にすがりつつ平和裏にウクライナの自治を拡大したいと願っていたマゼッパとは、長期的な見通しにおいてはまったく異なっていた。またピョートルは国家の近代化を急ぎ、臣民にいかなる犠牲を強いることも厭わなかった。ピョートルは南方作戦が一応の成果を収めるとバルト進出を企て、同じくポーランドやバルトへの進出を試みていたスウェーデンとの戦いに突入した。「大北方戦争」（一七〇〇～二一）である。コサックは故郷から遠く離れたバルトや中央ポーランドでの戦争に動員された。そこではコサックの死傷率は五〇％、多いときには七〇％にもなった。コサックを消耗品のごとく使うツァーリに対してマゼッパは疑念を増大させていった。

折しもスウェーデンは、まだ二〇代ながら軍事的な天才カール一二世（在位一六九七〜一七一八）の下でバルトとポーランドの支配をめざしていた。一七〇〇年のナルヴァの戦いではカールのスウェーデン軍は数倍も優勢なピョートルのモスクワ軍に大勝した。ポーランドでは、カールが王に擁立するレシチンスキとピョートルが擁立するザクセン公アウグストが争っていた。レシチンスキがウクライナに侵入しようとしたので、マゼッパはピョートルに援軍を求めたが、ピョートルはカールとの戦いに忙殺されて援軍は送れないと回答した。マゼッパはピョートルのみを頼れないと悟り、スウェーデンとも接触をもつようになった。

一七〇八年秋カールの率いるスウェーデン軍はリトアニアに攻め入り、その後モスクワ領に入ったが、糧食を得られないのでウクライナに入った。ピョートルはマゼッパにスウェーデンと戦う軍を出すよう命じてきた。この機会にマゼッパはスウェーデンを選択した。カールはウクライナを保護することを約し、ウクライナが完全にモスクワから自由になるまではモスクワと和睦しないと約束した。マゼッパには、ピョートルよりもカールのほうに勝ち目があり、ウクライナを独立させる絶好の機会に見えた。またマゼッパは、自分がツァーリとの戦いに立ち上がれば、ロシアに痛めつけられているコサックは自分についてくると信じた。マゼッパはこの約束を一般コサックにも伏せておいたが、ピョートルのほうが一般コサックより先にこの密約の存在を知ることになった。ピョートルは腹心と信じていたマゼッパが裏切ったことを知って大きなショックを受けたが、ただちに首府バトゥーリンを襲って破壊し尽くし、全住民六〇〇〇人を虐殺した。そして親モスクワ派を集めて別のヘトマン(イヴァン・スコロパツキー、在任一七〇九～二二)を選出させた。

翌年初夏までの期間は、双方の支持者獲得合戦であった。ピョートル側は、マゼッパが無神論者で、ウクライナをポーランドに売り渡そうとしているといった宣伝を行った。かたやマゼッパには予想したほどの支持者が集まらなかった。マゼッパのスタルシーナ擁護政策は一般コサックに不評だったし、スウェーデンとの約束を秘密にしておいたことで一般コサックの不信を買った。多くの者はマゼッパに勝ち目がないと思った。ただザポロージェ・コサック八〇〇〇はマゼッパの側についた。ピョートルはザポロージェ・シーチを破壊した。

一七〇九年七月、ウクライナ中部のポルタヴァで歴史的な大会戦が行われた。カールのスウェーデン軍とマゼッパのコサック軍との連合軍二万八〇〇〇に対し、ピョートル率いるコサック部隊を含むモスクワ軍四万が激突した。結果はモスクワ側の圧勝であった。カールとマゼッパはオスマン・トルコ領内に逃亡した。マゼッパは亡命先であるベッサラビアのベンデリで死亡した。マゼッパには約四〇〇〇のコサックがしたがって亡命したが、マゼッパの死後彼らはオルリークをヘトマンに選んだ。オルリークは、スウェーデンの援助の下でトルコ・タタールと同盟を結んでウクライナを解放することに依然として望みをつないだ。一時は右岸ウクライナへ攻め入ったが、力が足りず、一七一三年にはこの勢力は消滅した。

このポルタヴァの戦いは、ウクライナがロシアと別れ、独立国を作ろうとした最後の試みとなった。そしてこれを機会にただでさえ狭められていたヘトマン国家の自治は一層制限された。他方ロシアはこの戦いの後ヨーロッパの強国となった。この頃からモスクワ国は「ルーシ」のラテン化した名「ロシア」を使うようになった。本書でも以後「ロシア」を使うこととしたい。スウェーデンが大国となる夢は潰《つい》えた。

マゼッパはウクライナ史上フメリニツキーに次ぐ強力な指導者だった。彼は政治的生き残り術の天才で、ポーランド、右岸ウクライナ、左岸ウクライナ、モスクワ（ここでは敵対した摂政ソフィアとピョートル大帝の双方）と立場の違う組織の中でいつもトップに気に入られた。そしてヘトマンの位まで達し、しかもその地位を二〇年余というヘトマンとしては例外的な長期間保った。しかし最後に一か八《ばち》かの大勝負に出てすべてを失った。マゼッパの生涯は、恋と野心と陰謀に事欠かず、最後のクライマックスもある。そのためロマン派の作家、作曲家たちは、マゼッパという人物にインスピレーションを掻《か》き立てられ、数々の作品を生み出した。バイロン（一七八八～一八二四）、プーシキン（一七九九～一八三七）、ヴィクトル・ユーゴー（一八〇二～八五）は叙事詩を書き、チャイコフスキー（一八四〇～九三）はオペラ『マゼッパ』（一八八三年）を、フランツ・リスト（一八一一～八六）は管弦楽のための音詩（トーン・ポエム）『マゼッパ』（一八五一年）を作曲した。

最後のヘトマン

ポルタヴァの戦い後、ピョートルはツァーリの代理のロシア人をヘトマンのもとに送り、その代理の同意なくしてはヘトマンは何もできないようにした。ヘトマンのポストも長い間空席にした。ヘトマン国家の首府はロシア国境にほど近いフルヒフに変えさせられた。そしてフルヒフにはロシアの二連隊が常駐するようになった。ロシア人が連隊長や他の役職に入り込んできた。そのほかコサックは新都サンクト・ペテルブルグの建設、遠隔地のラドガ運河掘削やカフカス地方の要塞建設などの土木工事に駆り出され、多くが病気で死んだ。

一七二五年ピョートル大帝が死ぬと、締めつけは少し緩和され、新たなヘトマンが任命されたが、一七三四年そのヘトマンが死ぬと当時のアンナ女帝（在位一七三〇～四〇）は後任のヘトマン選出を禁止した。同女帝統治の間、一七三六～三九年のトルコとの戦争で数万のコサックが動員され、三万五〇〇〇人が死んだ。

エリザベータ女帝（在位一七四一～六二）が即位すると事態は意外なことから好転した。左岸コサックの出身でサンクト・ペテルブルグの帝室合唱隊で歌っていたオレクシー・ロズモフスキーはその美貌と美声からエリザベータに見初められ、後には秘密裏に女帝と結婚した。オレクシー自身は国政に関与しなかったが、ウクライナに対する愛国心をもち続け、女帝がウクライナに同情するよう仕向けた。オレクシーの弟キリロ・ロズモフスキーは次期ヘトマンとなるべく西欧で教育され、帰国後、一七五〇年に二二歳の若さでヘトマンに就任した。彼は大部分の時間をサンクト・ペテルブルグでの宮廷政治に費やし、ウクライナへの関心は薄かったが、女帝のロズモフスキー兄弟への寵愛を慮《おもんぱか》ってロシア政府からウクライナに対する干渉は減ったし、ヘトマンの権威も高まった。キリロは首府フルヒフにサンクト・ペテルブルグを見習った小宮廷を作ろうとし、宮殿、英国式庭園、劇場等を作った。

ロシアの政治は君主により一八〇度変わる。エカテリーナ二世（在位一七六二〜九六）は、ピョートル大帝の遺志を継ぐ中央集権、帝国拡張主義者で、ヘトマン国家を廃止しようと思った。キリロはエカテリーナ女帝の即位にも力を貸した忠実な臣ではあったが、女帝はそのようなことで政策を変えなかった。一七六三年ヘトマン国家のある者がロズモフスキー家を世襲ヘトマンにするよう請願を出した。女帝はこれを逆手にとってキリロに退任を迫った。キリロは最初は嫌がったが所詮専制君主に敵《かな》うはずもない。一七六四年彼はついに退任せざるをえなくなった。その代わり彼は女帝から広大な領地をもらった。以後ヘトマンは任命されず、キリロ・ロズモフスキーは最後のヘトマンとなった。ヘトマンに代わる組織としてロシア人を長とする「小ロシア参議会《コレギア》」が作られた。

なお余談であるが、ロズモフスキー家（ロシア語名ラズモフスキー）はロシアの伯爵となり、キリロの息子アンドレイ・ラズモフスキー（一七五二〜一八三六）は一八世紀末〜一九世紀はじめにロシアの駐オーストリア大使をつとめた。そこで第二次、第三次のポーランド分割交渉にかかわり、一八一五年ナポレオン没落後のウィーン会議にはロシアの全権として活躍した。また彼はベートーヴェン（一七七〇〜一八二七）のパトロンとしても知られ、彼の名を冠した『ラズモフスキー弦楽四重奏曲』（一八〇六年）があり、交響曲『第五番運命』『第六番田園』（ともに一八〇八年）は彼に献呈された。

ロシアへの併合

一七六五年エカテリーナ二世は「スロボダ・ウクライナ」（より正確には「スロビツカ・ウクライナ」）の自治を廃止した。スロボダ・ウクライナとは、フメリニツキーの時代から主に右岸ウクライナの住民が戦乱を避けてウクライナ最東部の人口希薄地帯であるハルキフ（ロシア語名ハリコフ）やスーミ地方に移住して作り出したコサック自治組織である。スロボダとは自由という意味であるが、ヘトマン国家とは別の組織としてはじめからモスクワの強い統制下にあった。エカテリーナはヘトマン国家を廃止する試験台としてまずスロボダ・ウクライナを廃止したのである。

次にエカテリーナはザポロージェ・コサックを廃止した。一七七四年ロシアとトルコはクチュク・カイナルジ条約を結び、ロシアはドニエプル川とブーフ川の間にまたがるトルコ領の黒海沿岸地帯を獲得し、クリミア汗国の独立をトルコに認めさせ、長年にわたるトルコとの紛争に一応の終止符を打った。これにより、これまでトルコ、クリミア汗国との戦争のため必要とされていたザポロージェ・コサックの利用価値がなくなった。翌年ロシア軍はシーチを破壊し、エカテリーナはザポロージェ・コサックの廃止を正式に宣言した。ここに二〇〇年以上にわたってウクライナのコサックの中心であり、また中心の地位を失ってからもコサック精神の象徴と見られてきたザポロージェ・コサックは姿を消した。

ザポロージェ・コサックのある者たちは町や村に引き籠った。ロシア軍の機銃兵の連隊に編入された者たちもいた。その他七〇〇〇人ほどの者たちは、ドニエプル河口に移住し、オスマン・トルコの軍務につくことになった。しかしロシアが抗議したので、オスマン・トルコは彼らをドナウ河口に移住させた。ドナウ河口への移住を望まない者たちは、いったんロシア領に戻り、その後最終的にアゾフ海の東岸クバン地方に定住した。彼らはそこでクバン地方のウクライナ人の祖先になった。

ドナウ河口のシーチは一八二八年まで続いた。ドナウのコサックたちは、トルコの下でイスラム教徒を助けてキリスト教徒と戦うことを躊躇した。一八二八年露土《ろと》戦争の際、首領フラドキーはロシアと戦うと称して部下を連れてロシア・トルコ国境まで行って、そこでロシア軍に投降した。一八六〇年までには彼らもクバンに定住した。この裏切りに怒ったトルコ軍はシーチを破壊し、解体した。ドナウに残っていたコサックの多くが殺され、また一部は他のトルコ領内に強制移住させられた。ドナウのコサックについては、ペトロ・フラク・アルテモフスキー（一八一三～七三）のオペラ『ドナウ川の向こうのザポロージェ・コサック』（一八六三年）があり、ウクライナでは人気が高い。

クチュク・カイナルジ条約ですっかり孤立無援となったクリミア汗国は、一七八三年エカテリーナの寵臣ポチョムキンが首都バフチサライを攻略し、滅亡した。これはスラヴ民族の遊牧民に対する最終的な勝利であった。ロシアは全クリミア半島を領有することになった。なおクリミア併合後、エカテリーナはクリミアを訪問したが、その際ポチョムキンは、途上の道で女帝が目にする部分だけを映画のセットのように装いを施し、農民を集めていかにも村が存在しているように見せかけたという。これが有名な「ポチョムキン村」のいわれである。

そして最後に来たのがヘトマン国家の廃止である。この頃には左岸ヘトマン国家内では、貴族と農奴に分極化した社会ができており、かつてのコサックをコサックたらしめる平等や独立不羈の精神が影をひそめていた。またコサック軍の装備、戦術も時代遅れとなっていた。

これではもはやコサックと名乗る国家を維持する意義もなくなったといっても過言でない。かくて一七八〇年、エカテリーナは、これまでウクライナを支配してきた小ロシア参議会を廃止し、ロシア本土並みにキエフ、チェルニヒフ、ノヴホロド・シヴェルスキーの三県を設け、それぞれに知事を置いた。そして一七八三年最終的にコサックの連隊制度を廃止して、ロシア軍に編入した。ウクライナ(ロシア式に言えば小ロシア)は、ロシア帝国の他の地方とまったく同じ一地方になった。フメリニツキー以来一三〇年余、左岸ウクライナに限定されてからでも八〇年の命脈を保ったヘトマン国家はここに消滅した。

右岸ウクライナ

一八世紀になると右岸ウクライナにはポーランドの貴族が戻ってきていた。一八世紀半ばには約四〇家族の大貴族(マグナート)が約八〇%の土地を所有していた。たとえばポトツキ家のある者は、一三万人の農奴をもっていた。ある貴族の晩餐会では、六〇頭の牛、三〇〇頭の仔牛、五〇頭の羊、一五〇頭の豚、二万羽の家禽《かきん》が二七〇バレルのワインとともに消費されたという。彼らは小さな王様で、自前の軍をもっていた。そしてフメリニツキーの時代などまるで存在していなかったかのように贅沢な生活に耽《ふけ》った。

右岸ではコサックが消滅していたが、その代わり、一八世紀の初期以来「ハイダマキ」と呼ばれる野武士のような者たちが貴族の荘園を襲うようになった。ハイダマキとはトルコ語で盗人とか放浪者という意味であった。当初は野盗まがいのものであったが、ポーランド貴族の圧政に苦しんでいる農民からは強い支持を受けた。彼らは追われるとザポロージェに逃げ込んだ。彼らの大規模な反乱は一七三四年、一七五〇年、一七六八年に起きたが、この最後の反乱の際には、これが左岸にも及ぶことを恐れたエカテリーナ二世により鎮圧されてしまった。結局、よく組織化されておらず、卓越した指導者にも恵まれなかったし、目標もはっきりしていなかったので、ひとつの政治的勢力になる前に滅んでしまった。しかし民衆には強い共感を残し、多くの伝説、民謡が残されている。タラス・シェフチェンコもその詩『ハイダマキ』（一八四一年）の中で圧制に対する英雄的反抗をうたっている。

ポーランド貴族が西ウクライナをほしいままにしている間に、ポーランドの本体は弱まっていった。隣国ロシアやプロイセンなどが中央集権、絶対王政の方針の下で強国にのし上がってきているのに比べ、ポーランドでは貴族が強すぎて王権が弱く強力な国家を作りえないでいた。そうして次第に外国の干渉を受けるようになった。とくにロシアは、かつてのキエフ・ルーシ公国の領域は当然自国に帰属すべきものと思っていた。こうして一七七二年、一七九三年、一七九五年の三次にわたる分割を経てポーランドはロシア、プロイセン、オーストリアの三国に完全に分割され、消滅してしまった。その中でもロシアの取り分がもっとも多く、ウクライナでは右岸地方（キエフおよびブラツラウの全部、ポディリアの大部分）、ヴォルイニの大部分を獲得した。オーストリアは、ハーリチナ、ブコヴィナを獲得した。ここに一四世紀に始まったポーランドのウクライナ支配は、四世紀を経ていったん終了することになる。いまやウクライナはその大部分がロシアに、西ウクライナの一部がオーストリアの支配下に入ることになる。ウクライナは政治上まったく地図から消えてしまった。

新ロシア県

一七七五年エカテリーナ二世は、数次にわたる露土戦争の結果ロシアに編入された広大な黒海沿岸地域を一括して「新ロシア（ノヴォロシア）県」を創設した。新ロシアの総督になったポチョムキンは、大胆な植民政策をとった。それは入植者に広大な土地を与え、最初の二〇～三〇年は無税とするものである。ロシア貴族の入植も奨励され、二五人の農民をともなった場合には四〇〇〇エーカーの土地が与えられた。そのとき連れてこられたのは主に右岸ウクライナの農民であった。一七七八～八七年の一〇年間に新ロシアの収穫は五倍に伸び、一七九六年までに新ロシアの人口は五〇万を超えた。

総督ポチョムキンの熱意もあり、黒海沿岸には多くの都市ができた。オデッサ、ミコライイフ（ロシア語名ニコライエフ）、ヘルソンなどの都市である。これらの都市は穀物の輸出港として急速に発展した。南ウクライナのステップ地帯は昔から豊かな穀倉地帯だったが、ここ数世紀は沿岸がトルコやタタールに占拠されて海外へのアクセスがなかった。いまや積出港を得てウクライナは「ヨーロッパのパン籠《かご》」への道を歩むことになるのである。

第五章　ロシア・オーストリア両帝国の支配

両帝国支配下のウクライナ

一八世紀末のポーランドの分割およびトルコの黒海北岸からの撤退によって、それ以降第一次世界大戦までの約一二〇年の間、ウクライナはその土地の約八割がロシア帝国に、残りの約二割がオーストリア帝国に支配されることとなる。

ロシア帝国では、ツァーリの専制君主制、中央集権制の下でロシア化が進められ、一七世紀にあれほど燃え上がったコサックのウクライナ・ナショナリズムも一九世紀にはすっかり下火となり、単なるロシアの一地方に堕していった。もっともナショナリズムの火はまったく消えたわけではなく、コサックに代わるインテリゲンツィアという新しい階層の下で育《はぐく》まれ、第一次世界大戦時のウクライナ中央ラーダ政府の結成につながっていくのである。他方、一九世紀末からロシアで資本主義が勃興すると、ウクライナ南東部では当時のヨーロッパでも例を見ないほどの急速な工業化が進み、帝国内最大の工業地帯となった。ここに古代から綿々と引き継がれた「農業のウクライナ」が、政治的な独立のないまま「工業と農業のウクライナ」にドラスティックに変貌することになった。

オーストリア帝国においても皇帝および官僚の権力は強かったが、帝国内の民族は非常に多様でウクライナ民族を主要民族に同化させる圧力はなかったし、西欧に近いだけに専制の程度はロシアより弱かった。そのためオーストリア支配下のウクライナは、地域は狭いながらもナショナリズムの拠点となっていった。この西欧の影響を受けた西部地域は現在に至るまでロシア・ソ連色の薄い特異な地域でありつづけることになる。

ロシア帝国下では

ロシア帝国下では、「ウクライナ」は正式名ではなく、「小ロシア」(マロロシア)が行政上の名前であった。ウクライナ人は「小ロシア人」と呼ばれた。ウクライナには九の県(グベルニア)が置かれた。かつての左岸ヘトマン国家はチェルニヒフとポルタヴァ二県に、スロボダ・ウクライナはハルキフ県に、右岸はキエフ、ヴォルイニ、ポディリア三県に、ザポロージェはカテリノスラフ県に、クリミア半島はタウリダ県に、黒海沿岸はヘルソン県になっ

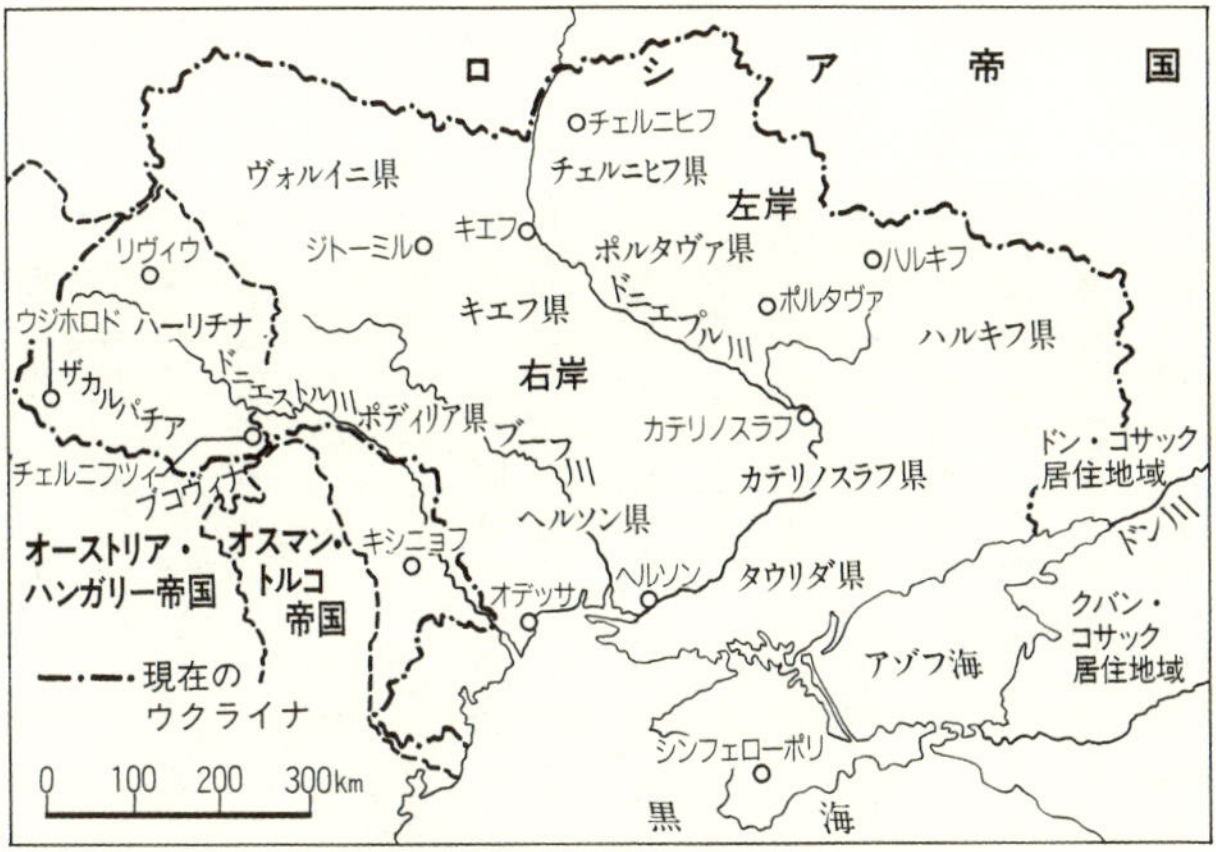

19世紀，ロシア帝国下のウクライナ．

た。各県には首都から知事が派遣された。オデッサのみは中央の直轄地であった。

左岸ではコサック・スタルシーナ、右岸ではポーランド人（およびポーランド化したウクライナ人）シュラフタの多くが貴族の地位を認められた。彼らは免税特権や農奴をもつ権利を認められていた。一九世紀はじめには左岸で二万四〇〇〇人が貴族と認定されていて、その大部分がスタルシーナ出身であった。また彼らは帝国のシステムに同化し、地方の官僚層を形成した。中央で活躍した者もおり、最後のヘトマン・ロズモフスキーの息子たちや、マゼッパに敵対したコサックであるコチュベイの一族、ベズボロディコ、ザヴァドフスキー、作家ゴーゴリの親戚にあたるトロシチンスキーなどはサンクト・ペテルブルグで大臣の位に上った。

同時期右岸では、二六万人のポーランド人、二万人強のウクライナ人が貴族として認定されていた。右岸地方は政治的・行政的にはロシア人の支配下にあったが、ロシア人はほとんど住んでおらず、従来どおりポーランド人領主が土地を所有していた。右岸の小都市ウマニ郊外には、一七九六年ポーランド系大貴族ポトツキ伯爵が、かつて女奴隷であったといわれるギリシア人の後妻ソフィアのために作った庭園「ソフィイフカ」が残っている。館はロシア革命後破壊されたが、一五〇ヘクタールにも及ぶ庭園はほぼそのまま残っており、多数の池や島、洞窟、滝、噴水、園亭《えんてい》などを配し、当時の栄華が偲ばれる風景である。

農民の状況については、左岸では、ヘトマン国家の時代にはまだ移動の自由があったが、一七八三年移動の自由が禁止され、完全に農奴化した。右岸ではポーランドの支配の下ですでに農奴は存在しており、一九世紀半ばには農民の四分の三が農奴であった。両岸の農民の中には、堪えかねて、より自由なドン河口やその南のクバン地方に逃亡する者も多かった。そのため現在のドン・クバン地方の住民は民族的にはウクライナ人が大部分だといわれている。ちなみにソ連の最後の大統領ミハイル・ゴルバチョフはドン川の南のスタヴローポリ地方の生まれであるが、彼の母方の祖父はチェルニヒフ県の出身のウクライナ人である。ゴルバチョフ自身の回想録によれば、父方の曾祖父はウクライナに隣接するが現在はロシアに属するヴォロネジ県より移住してきたとし、コサックであったことを示唆している。確かに同県は民族的にはウクライナ人が多く、ゴルバチョフの伝記を書いたゲイル・シーヒーは、ゴルバチョフ家はウクライナのコサックだったとしている。

ウクライナの都市の住民は大部分がロシア人とユダヤ人だった。右岸ではこれにポーランド人が加わった。都市に住むウクライナ人は少なく、彼らはロシア語を話すようになり、ロシア化した。しかし農村では圧倒的多数のウクライナ人が頑固にウクライナ語と固有の習慣を守っていた。都市と農村では民族、言語、習慣が違い、別の国のようであった。

バルザックの館

この時代の右岸ウクライナに関して特筆すべきエピソードは、フランスの作家オノレ・ド・バルザック（一七九九～一八五〇）が足掛け三年ほど滞在した貴族の館が今も残っていることである。シュテファン・ツヴァイクの伝記『バルザック』（遺稿、一九四六年）にはバルザックの小説より数奇ないきさつが詳細に書かれている。

キエフより一〇〇キロ以上南西のヴェルヒヴニャという村に、二万ヘクタールの領地に三〇〇〇人の農奴をもつポーランド人貴族ハンスキ伯爵の城館《シャトー》があった。その妻ハンスカ伯爵夫人は美貌で有名だった。城館にはあらゆる贅沢品がそろい、子供にも恵まれ、ハンスキ夫妻は世間的には平和で幸せな生活を送っていた。しかし教養あるハンスカ夫人にとっては田舎の生活は退屈で精神的刺激がなかった。親戚の女性二人とスイス人女性である子供の家庭教師だけが話し相手だった。

週一度の大事件は郵便の到着で、遠いおとぎの国の「西欧」からの手紙、新聞、新刊書が届くのである。パリの新聞の些細な記事も数千キロ隔てた田舎では熟読玩味し、何日も議論する重要な事件となり、パリの作家は偉大な天才に見えるのである。ハンスカ夫人ら城館の四人の女性はバルザックの小説の愛読者となったが、一八三二年ついに暇に任せて、また遊び半分から共同で「異国の女」という変名を使ってバルザック宛てに手紙を書いた。バルザックはウクライナという遠い国から洗練されたフランス語で書かれた手紙をもらって、自分の名声が世界の地の果てまで鳴り響いている証拠だとして虚栄心をくすぐられた。ハンスカ夫人は本名、住所を明かさなかったが、二〜三度一方的な手紙を出した後にバルザックの反応が知りたくなり、今後も手紙を送りつづけてよいかを当時は異例に属する新聞広告で合図をしてほしいと書いた。バルザックはもちろん手紙をほしいとパリの新聞の広告欄にイニシアルで合図を出した。こうしてハンスカ夫人は家庭教師を連絡役にしてバルザックと秘密の文通を始め、ついには一八三三年スイスを旅行したときバルザックと密会した。

一八四一年ハンスキ伯爵が死に、一八四七年バルザックははるばるウクライナの彼女の城館まで訪れ、滞在する。バルザックは城館の贅沢さや、一度も肥料をやらないのに穀物が実るウクライナの肥沃な土地、おびただしい使用人に目を見張った。バルザックは、使用人について「彼らは長々と腹這いになり、三遍地べたに額をつけ、それからこちらの足に接吻します。本当に平伏するのは東洋だけです。『権力』という言葉が意味をもっているのは東洋だけです」と書いている。そして二人はとうとう一八五〇年三月、近くの町ベルディチェフの聖バルバラ教会で結婚式を挙げた。しかし結婚生活は短かった。結婚後ウクライナからパリに向かう途次バルザックは病いにかかり、パリに着いてまもなく同年八月死んだ。

ウクライナではかつて各地にあった貴族の館は革命で破壊されてほとんど残っていない。しかしこのハンスカ夫人の城館は村の農業高校になったため例外的に残った。私はキエフ駐在のフランス大使からたまたまその存在を知り、ある日訪問した。ウクライナの農村地帯のど真ん中に瀟洒《しょうしゃ》な城館が現れたのには驚いたが、中は素っ気ない学校の内装に変わってしまっていた。ただバルザックが居住していたという部屋だけは小さな博物館になっていて若干の遺品や著作などが陳列されている。私は、バルザックがここまで馬車を何日も乗り継いでやってきた情熱はどこにあったのだろうかという感慨に取りつかれた。この「バルザックの館」は草深い田舎に埋没して外国人にはもちろんのこと、ウクライナ人にもほとんど知られていないが、城館を巡る庭や森も残っているので、整備すればキエフからの格好な行楽の地になるだろう。また私はバルザックが結婚式を挙げた聖バルバラ教会も訪れたが、そこではカトリック教徒が大勢働いていた。話を聞くと、ソ連時代には教会が閉鎖されて体育館になっていたが、ようやく最近教会に戻す許可が下りたので、内部大改修を行っているとのことであった。確かに床を見るとバスケットボールのために引いたラインがまだ残っていた。

デカブリストの乱とカーミアンカ

一八一二年のナポレオンのロシア遠征については、ナポレオン軍の一部がヴォルイニ地方に侵入した程度であり、ウクライナへの直接的な影響はさほど大きくなかった。ただナポレオン戦争に参加して西欧にも従軍し見聞を広めたロシアの若い貴族たちは、自国の立ち後れに愕然とし、一八二五年専制政治と農奴制の廃止を求めていわゆるデカブリストの乱を起こした。そしてその舞台は首都サンクト・ペテルブルグとともにウクライナであった。デカブリストには二つのグループがあり、首都の北方結社に対し、ウクライナを拠点とする南方結社があった。南方結社はチェルニヒフ連隊の一〇〇〇人の兵士を擁して蜂起したが、政府軍に粉砕されてしまった。反乱自体はあっけないほど簡単に鎮圧されたが、ロシアの体制変革を求めた運動の嚆矢《こうし》としてロシア史上重要な位置を占める。

さて、キエフより一〇〇キロほど南にある町カーミアンカ（ロシア語名カーメンカ）には貴族ダヴィドフ家の屋敷の跡が今でも残っている。大部分の建物はなくなっているが、一部残っている建物もあり、そこはデカブリストとプーシキン、チャイコフスキーを記念する小さな博物館になっている。一九世紀当初の屋敷の主ヴァシーリー・ダヴィドフはデカブリストで、同屋敷は南方結社のメンバーたちの溜まり場だった。当時都を追放されていた詩人プーシキンはダヴィドフや他のデカブリストたちの友人であり、何度もこの屋敷に滞在し、彼らとも熱い議論を戦わせた。プーシキンは何か行動を起こすことに積極的だったが、デカブリストたちはプーシキンが開けっぴろげな性格だけに彼に蜂起の計画を漏らすと事前に喋ってしまうのではないかと恐れ、あえて彼には打ち明けなかったという。後にプーシキンは彼の詩『エヴゲーニイ・オネーギン』第一〇章（一八三〇年）の中で「木陰多きカーメンカ」と懐かしんでいる。

またチャイコフスキーについては、彼の妹アレクサンドラがデカブリストのヴァシーリー・ダヴィドフの息子レフ・ダヴィドフと結婚し、カーミアンカの領地に住んだ。チャイコフスキーはカーミアンカがことのほか気に入り、一八七〇年代には毎年のごとく同地に滞在した。そしてそこで多くの曲が生まれた。また彼はウクライナの民族音楽・民謡を研究し、自分の作品に取り入れた。たとえば『アンダンテ・カンタービレ』（一八七一年）は、ダヴィドフ邸で働いていたペチカ職人が鼻歌で歌っていたウクライナ民謡をもとにしたものである。また『ピアノ協奏曲第一番』（一八七五年）の第一楽章の主題は、カーミアンカの町で盲目のコブザ（八弦の民族楽器）弾きが歌っていたのを採譜したものだという。バレー音楽『白鳥の湖』（一八七六年）は、カーミアンカの甥や姪たちのために作られた一幕の舞踊劇がその原型となっている。その他『交響曲第二番小ロシア』（一八七三年）、オペラ『エフゲニー・オネーギン』（一八七八年）、同『マゼッパ』（一八八三年）、『ピアノ協奏曲第二番』（一八八〇年）などが同地で作られた。チャイコフスキー自身次のように書いている。

私はカーメンカの家にある過去を愛する。この家は詩的インスピレーションを掻《か》き立てる。プーシキンの姿が舞い上がる。……カーメンカではモスクワやペテルブルグでは探しても得られなかった心の平和を得た。

（カリー著『そして、カーメンカの思い出』より筆者訳）

クリミア戦争

一八五三〜五六年にクリミア戦争が起きた。この戦争はクリミアが主戦場となったのでクリミア戦争といわれている。これは東欧や地中海に進出しようとしたロシアを英・仏がトルコを助ける形で食い止めようとした典型的かつ大規模な帝国主義戦争であった。ロシアは一八世紀末クリミア半島にセヴァストーポリ軍港を築き、そこに黒海艦隊を置いて黒海、地中海への進出の基地とした。英・仏・トルコ連合軍はロシアの黒海艦隊を壊滅するためセヴァストーポリ軍港を、そしてそのため同軍港を守るセヴァストーポリ要塞を攻めた。双方合わせて二〇万以上の兵が動員され、同要塞をめぐる凄惨な攻防戦が数ヵ月も続いた。ロシア軍も奮闘したが、結局ロシア側は撤退し、ロシアの敗北となった。

若きトルストイ（一八二八〜一九一〇）はこの攻防戦に参加し、後に出世作『セヴァストーポリ物語』（一八五五〜五六年）を書いた。英国の詩人テニソン（一八〇九〜九二）は『軽騎兵団の突撃』（一八五五年）という詩を作ったが、これはクリミア戦争の一局面であるバラクラーヴァの会戦で英国軽騎兵団が壊滅したことを歌ったもので、そのヒロイズムと名調子で今も英語圏では愛唱されている。またナイティンゲール（一八二〇〜一九一〇）が看護に活躍し、アンリ・デュナンの赤十字設立に影響を与えた戦争としても知られている。

クリミア戦争の敗北はロシア指導層に深刻な打撃を与えた。敗北の原因は経済の後進性と農奴制にあり、これを見過ごせば革命が起こるとの認識が広まった。かくしてアレクサンドル二世（在位一八五五〜八一）の下、一八六一年農奴制が廃止され、また地方行政、教育、司法などの改革が行われた。当時ロシア全体では、農民の約半分が農奴であった。ウクライナにおいては、旧ヘトマン国家の左岸では農奴は農民全体の三分の一、旧スロボダ・ウクライナでは四分の一、旧ポーランド領の右岸では四分の三を占めていた。農奴解放は農民を地主より解放したが、彼らの経済状況を必ずしも改善するものではなかった。農奴は土地取得の代価を支払わねばならず、現金をもたない農民は借金漬けになった。また土地を取得するときにはかつて耕していたときより狭い土地しか与えられない場合が多かった。それに医療事情の改善などにより農村地帯の人口が増加し、一人当たりの農民の土地は細分化され、このようなことから一方では豊かな農民も生まれたかわり、多くの農民は貧しくなり、また農村内の失業が生まれた。そしてこの貧困と人口圧力が遠隔地への移民を生んだ。

ロシア帝国内のウクライナでは、チェルニヒフ県を中心とする左岸ウクライナの農民が一八八〇年代から二〇世紀はじめにかけてウラル山脈以東に大挙して移民した。彼らは帝国の国境を越えることを許されなかったので、帝国内での移住であった。中央アジア、シベリアにも移民したが、もっとも多かったのははるか数千キロも離れたロシア極東地方であった。一八九六〜一九〇六年の間に約一六〇万人のウクライナ人が東方へ移住した。それにはその頃シベリア鉄道が完成(一九〇三年)したこともあったが、チェルニヒフ県からの移民の多くは、オデッサ港から船ではるばるスエズ運河、インド洋を越え、一カ月半をかけてウラディオストック港までたどり着いた。アメリカに移住するのだと思っていたら、着いたのはウラディオストックだったという笑い話も残っている。こうして一九一四年にはロシア極東地方では、ロシア人の二倍にあたる二〇〇万人のウクライナ人が定住していた。したがって現在でもロシア極東地方の住民は、過半数がウクライナ人だといわれる。現に極東地方やサハリン州の住民の名前を見るとウクライナ人に特有な「〜エンコ」で終わる姓が多い。もっとも、移住から一世紀も経っているので、ウクライナ起源でありながら自らをウクライナ人と意識せず、ロシア人だと思っている者が多い由である。いずれにせよ、日本の対岸にウクライナ人の子孫がかくも多く住んでいることは意外である。

国民詩人タラス・シェフチェンコ

ロシア帝国下でのウクライナ・ナショナリズムの萌芽は、コサック・スタルシーナが自分の家をロシアの貴族として認めてもらうために古いものをいろいろ調べたことから生まれた。こうしてウクライナ独自の歴史、習慣、民話、民謡などに関心が高まった。ただ大部分の貴族エリート層はロシア文化に同化してしまったので、これらの関心は新しく生まれた知識人(インテリゲンツィア)という階層によって引き継がれた。知識人は官僚養成のため国が作った高等教育機関で学んだ者から生まれた。一八〇五年ハルキフにロシア帝国内ウクライナにおける最初の大学が設立されたし、一八三四年にはキエフ大学が設立された。

ロシア帝国内ではウクライナ語はロシア語の方言にすぎないと考えられていた。したがって真面目なもの、高尚なことはロシア語で表現すべきだとされていた。コサックの末裔であ

キエフ大学前の公園に立つシェフチェンコ像.

るゴーゴリが文学を志したときに使用したのはロシア語であった。しかし、ウクライナの民俗資料を収集し、研究していくうちにウクライナ語はロシア語とは違った独自な言語と認識され始めた。その最初の成果が、最初のウクライナ語の文学作品ともいえる『エネイーダ』（一七九八年、コトリアレフスキー〈一七六九～一八三八〉作）であった。これは古代ローマの古典作品、ウェルギリウスの『アエネーイス』のコサック版パロディーで、いまだ深刻な内容を表現するものではなかった。

　このような中から現れたのが、ウクライナ語の最大の文学者とされるタラス・シェフチェンコ（一八一四～六一）である。彼はキエフ県の農村に農奴の子として生まれ、若くして孤児となった。しかし絵の才能があったため、領主は彼をお抱えの絵師とすべくサンクト・ペテルブルグに送って絵画を学ばせた。彼は絵を学ぶ傍ら詩作においても天分を示し、首都の一流文学者ともつき合うようになった。こうして首都の友人のカンパにより彼は領主に金を払って農奴の身分を離れることができた。一八四〇年彼は最初の詩集『コブザーリ』を出した。コブザーリとは民族楽器コブザを奏でて歌う、多くは盲目の吟遊詩人のことである。シェフチェンコは農民の口語・方言と古代教会スラヴ語を統合して力強いウクライナ語を創造した。シェフチェンコの出現によってウクライナ語ははじめて高度な内容、複雑な感情を表現できる言語としての地位を得た。『コブザーリ』の出現は現在に至るまでウクライナ文学史上の最大の事件とされている。シェフチェンコはウクライナの自然や人々、歴史に対する愛情とウクライナの隷従からの解放を真摯かつ直截《ちょくせつ》に歌った。ロシアに対する怒りも大きかった。彼の『遺言』（一八四五年）という作品を紹介する（渋谷定輔・村井隆之訳）。

わたしが死んだら
なつかしい　ウクライナの
ひろい丘の上に
埋めてくれ
かぎりない畑と　ドニェプルと
けわしい岸べが　みられるように
しずまらぬ流れが　聞けるように

ドニェプルが　ウクライナから

すべての敵の血潮を
青い海へ　押し流すとき
わたしは　畑も　山も
すべてを捨てよう
神のみもとに　かけのぼり
祈りもしよう　だがいまは
神の　ありかを知らない

わたしを埋めたら
くさりを切って　立ち上がれ
暴虐な　敵の血潮と　ひきかえに
ウクライナの自由を
かちとってくれ
そしてわたしを　偉大な　自由な
あたらしい家族の　ひとりとして
忘れないでくれ

やさしい　ことばをかけてくれ

一八四六年シェフチェンコは、『フメリニツキー伝』（一八五七年）を書いた歴史家コストマーロフ（一八一七～八五）、聖書のウクライナ語版を完成した作家・歴史家クリシ（一八一九～九七）など一〇人程度のウクライナの知識人とともに「キリロ・メトディー同胞団」を作った。農奴制の廃止や全スラヴ民族の連帯などを標榜していたが、知識人の文化啓蒙的な団体で、反政府活動をしていたわけではなかった。しかし一八四七年、同団のメンバー全員が逮捕された。シェフチェンコはメンバーのなかでもっとも重い、中央アジアに一兵卒として無期につとめるとの刑を受け、またニコライ一世（在位一八二五～五五）の直々の命令で詩を書くことと絵を描くことを禁止された。シェフチェンコは一〇年後、すなわちニコライ一世死去後の一八五七年に恩赦を得てウクライナに戻ったが、ほどなく死去した。

しかし死後シェフチェンコはウクライナ民族主義と独立運動の象徴的存在となった。もっともソ連時代におけるシェフチェンコの位置づけには歯切れの悪いところがあった。ソ連政府もシェフチェンコをまったく無視するわけにもいかず、彼は農民の利益を擁護し、ツァーリの専制政治と農奴制の廃止のため断固として戦うことを呼びかけたとして「偉大なウクライナの革命的民主主義者」と位置づけられた。そして彼のもう一つの顔である反ロシア、ウクライナ民族主義の側面は注意深く隠された。彼の詩の該当部分は詩集から外された。しかしウクライナ独立後、ウクライナ最大の偉人とされ、多くの通りや施設に彼の名が冠せられた。最高額の紙幣一〇〇フリヴニャ札には彼の肖像が描かれている。

ナショナリズムの高揚と政党の成立

一八五五年に超保守主義者のニコライ一世が死去し、改革主義者のアレクサンドル二世が即位すると統制は少し緩まった。キリロ・メトディー団のメンバーだった知識人たちは「フロマダ」(社会)という組織を作り、活動を再開した。また最初の雑誌『オスノーヴァ』(基礎)を一八六一年に発刊した。コストマーロフは『二つのロシアのナショナリティー』という論文を書いてロシアとウクライナは別の民族だと主張した。

しかしロシア政府は再びナショナリズムに警戒を強め、一八六三年ヴァルエフ内相(一八一四〜九〇)はウクライナ語による教科書・宗教書の出版を禁止した。文芸のみはウクライナ語で書くことが許された。フロマダは解散させられ、『オスノーヴァ』は廃刊を余儀なくされた。一八七六年にはいわゆる「エムス指令」により、ウクライナ語書物の輸入の全面禁止、講演でのウクライナ語使用の禁止(歌もフランス語かロシア語に翻訳して歌う)、ウクライナ語新聞の発行禁止、小学校でのウクライナ語による教育禁止、ウクライナ語書物の学校図書館からの追放、ウクライナ関係団体の閉鎖、ウクライナ運動活動家の追放などかなり徹底したウクライナ民族弾圧が行われるようになった。

フロマダの主要メンバーであった思想家ドラホマーノフ（一八四一～九五）は、ロマンティックな愛国心ではなく実践的な愛国心を説いて、「真の民主主義者はウクライナ愛国者であるべきであり、真のウクライナ愛国者は民主主義者であるべし」とした。彼はエムス指令によりウクライナを追放され、ジュネーヴから雑誌『フロマダ』を発行してロシア、オーストリア双方のウクライナ人に呼びかけ、ウクライナ全体のナショナリズムの高揚に努めた。

一九世紀末～二〇世紀はじめには穏健派から過激派まで各種結社や政党が現れるようになった。最初のマルクス主義組織は、一八九三年結成された「社会民主主義者のロシア・グループ」であった。一九〇〇年にはロシア帝国内ウクライナの最初の政党である「革命ウクライナ党」（RUP）が地下政党として結成された。同党はハルキフの学生を中心とし、社会民主主義者とマルクス主義者から成っていたが、レーニンに影響されたグループは一九〇五年「ウクライナ社会民主連合」（Spilka）を作った。これはロシア社会民主労働党（後のロシア共産党）のウクライナ版であった。そして同党からボリシェヴィキやメンシェヴィキの系統が派生した。またマルクス主義者が去った後の革命ウクライナ党は「ウクライナ社会民主労働党」（USDRP）を作った。

ウクライナの民族運動が新たな段階に入るのは、日露戦争の敗北をきっかけに起こった第一次革命のときである。一九〇五年一月ウクライナ出身の聖職者ガポン（一八七〇〜一九〇六）に率いられてサンクト・ペテルブルグで平和裏に請願をしていた一団に警察が発砲し、多数が死傷した。この血の日曜日事件が端緒となり各地にストライキが頻発した。軍においても反乱が起きたが、そのもっとも有名なものがオデッサ港で起きた戦艦「ポチョムキン」の反乱である。同年六月ハルキフ生まれのマティウシェンコに指導された水兵たち（大部分がウクライナ人）は、スト参加者への発砲の命令を拒否して艦を乗っ取り、ルーマニアに逃走した。この事件は、ロシア海軍史上はじめて艦船に赤旗が翻ったことからソ連時代にはロシア革命の先駆け的な行動として広く宣伝された。なお、岡崎久彦氏は、その著書『小村寿太郎とその時代』（一九九八年）の中で、「（この反乱の）背後には、明石元二郎《もとじろう》大佐から反乱支援資金が流されていたといわれる」と述べている。また、エイゼンシュタイン（一八九八〜一九四八）は、一九二五年この事件を題材に映画『戦艦ポチョムキン』を製作したが、モンタージュ技法をはじめて駆使した作品として映画史上名高い。

この混乱状況に危機感を抱いたツァーリは譲歩を余儀なくされた。国民に全面的な市民権を付与し、議会（ドゥーマ）の開催を約束した。これは専制政治から立憲政治への転換を意味する画期的なものとなるはずであった。ウクライナに関しては、一八七六年のエムス指令によるウクライナ語の使用制限、結社の制限が撤廃された。こうしてウクライナ語の新聞が多数発行され、各地に結社ができた。しかしドゥーマは何度も選出されているうちに、次第に保守化していった。この保守的なドゥーマの支持を得て政府は反動化し、ウクライナにおいても多くの団体が解散させられ、出版物も姿を消した。ロシアの左派もウクライナの民族主義を「裏切り分離主義」とか「マゼッパ主義」といって非難し、ウクライナの自主性を認めようとはしなかった。そしてこの点ではロシアにおいては政府も左派も共通していた。

オーストリア帝国下では

オーストリア帝国に組み込まれたウクライナは三つの地域よりなる。第一は、一七七二年ポーランドの分割によって獲得した旧ポーランド領の東ハーリチナ地方（主都市リヴィウ）である。第二は、その二年後の一七七四年オスマン・トルコ帝国より獲得したブコヴィナ地方（主都市チェルニフツィ）である。ブコヴィナはカルパチア山脈の南東麓に位置する比較的狭い地域でルーマニア人とウクライナ人が混住している。第三は、カルパチア山脈の南麓に位置するザカルパチア地方（主都市ウジホロド）である。ここはウクライナ人が主要民族であるが、中世以来ハンガリー王国の領地であり、ハンガリーがオーストリアに属して以来オーストリアの間接支配の下に入った。そしてオーストリア帝国下のウクライナ人は、宗教的にはほとんどユニエイト（ギリシア・カトリック）であった。またハーリチナではウクライナ人は、ルーシ人がラテン語化した「ルテニア人」という名前で呼ばれた。

東ハーリチナについては、オーストリア帝国は別に獲得したポーランド人居住地域である西ハーリチナ（主都市クラクフ）と合わせてハーリチナ（英語名ガリシア）州を作った。したがってウクライナ人の住む東ハーリチナとポーランド人の住む西ハーリチナが一つの行政単位となったため、同一州内でのポーランド人とウクライナ人との確執が大きな問題となった。ウクライナ人はほとんどが農民だった。都市の住民は主にユダヤ人であった。東ハーリチナは、ポーランド貴族の下で農奴（農民の四分の三を占める）を基礎とする荘園農業で成り立っていた。ハーリチナは、新しく組み込まれたオーストリア帝国の中では辺境に位置し、もっとも貧しい地域であった。

とはいうもののハーリチナがオーストリアの支配下に入ったときはマリア・テレサ女帝（在位一七四〇〜八〇）やヨーゼフ二世（在位一七八〇〜九〇）という啓蒙君主の時代で、両君主は合理的な近代的官僚国家をめざしていたので、ツァーリ専制のロシアに比べれば恵まれていた。両君主の下、一八世紀末には、拷問の禁止を含む刑法の改正や、全宗教間の平等、初等教育の義務化、不必要な修道院領地の世俗化、貴族の免税特権の廃止、農奴の実質廃止（賦役の制限、結婚の自由、職業変更の自由、移動の自由）、ウクライナの最初の大学であるリヴィウ大学の設立などの改革が行われた。ただヨーゼフ二世の死後、改革気分は後退し、農奴制もかなりの程度復活した。

一八四八年フランスの二月革命に端を発して各地で民主化、民族の独立を求めるデモや騒擾《じょうそう》が発生した。とくにオーストリア帝国では長年の鬱積が爆発し、首都ウィーンの学生・市民は民主化を要求し、各民族は自治や独立を要求した。帝国の瓦解《がかい》を防止するため、これまで長く民族主義を抑圧してきた宰相メッテルニヒ（一七七三～一八五九）は解任され、検閲の廃止、立憲議会の招集の約束、農奴制の完全廃止などの上からの改革が打ち出された。

ハーリチナでも、一八四八年に最初のウクライナ人の政治組織「最高ルテニア評議会」が設立された。同評議会は、ルテニア人はポーランド人ともロシア人とも違う民族で、全一五〇〇万人のうちハーリチナに二五〇万が住む大ルテニア人の一部であるとの宣言を行った。そして最初のウクライナ語新聞を発行した。

その後もハーリチナでのウクライナ人の民族覚醒の動きは着実に進んだ。一八六〇年代および一八七〇年代には民族主義的な多くの組織が結成された。一八九〇年には作家イワン・フランコ（一八五六～一九一六）らによって「ウクライナ急進党」が設立されたが、同党は近代ウクライナ史上はじめてウクライナの統一・独立を標榜した。また一八九〇年代から一九〇〇年代はじめには各種の文化運動も盛んになった。一八九四年にはリヴィウ大学にウクライナ研究の講座がはじめて設けられ、キエフ生まれの歴史家ミハイロ・フルシェフスキー（一八六六〜一九三四）が教授になった。そして彼の指導の下「シェフチェンコ科学協会」がウクライナの科学アカデミー的な役割を果たした。

こうして、一九世紀末〜二〇世紀初頭においては、ロシア帝国内のウクライナの民族主義運動は低調だったのに比し、オーストリア（一八六七年よりオーストリア・ハンガリー二重帝国となる）の比較的自由の下でハーリチナがウクライナ民族主義の中心になった。

新大陸への移民

一八四八年のオーストリアの農奴解放令は農民の生活を必ずしも楽にしなかった。領主の土地を買い取るための資金がなかったし、税もかかった。森や牧場などかつての共有地が領主のものとされたため、その地を利用するために新たに金が必要だった。人口増加のため、取得した土地は子供たちに細分化され、経営が成り立たなくなった。現に一人当たりの農地は一八五九年には五ヘクタールであったものが、一九〇〇年には二・五ヘクタールまで減少している。零細農民は恒常的に借金に苦しみ、年一五〇〜二五〇％という高利の金を借り、返済できないため土地を手放すこととなった。また農奴時代と同じように領主の下で労働をせざるをえなかった。そこでわずかに現金収入が入っても労賃の現金化は居酒屋でしかできないため、居酒屋へ行くとつい飲んでしまう。その上領主はアルコール事業を独占していたため、農民に飲酒を勧めた。小学校が一五〇〇人に一つしかなかった時代に、二二〇人に一つの居酒屋があったという。町に働きに出ようにもオーストリア本体やチェコのように工業も発達していなかった。

そこで農民が活路を見出そうとしたのが、新大陸への移民であった。移民は一八八〇年代より始まり、当初はアメリカ北東部の工業地帯に向かった。一九世紀と二〇世紀の境目にはアメリカおよびカナダへ農民として移住した。アメリカやカナダの農業地帯は故郷ウクライナと環境が似ているので適応しやすかった。こうして一八八一〜一九一二年にハーリチナとブコヴィナから四三万人が、ザカルパチアから一七万人が故郷を離れた。

現在アメリカでは一五〇万人、カナダでは一〇〇万人のウクライナ系の住民がいるといわれる。アメリカでは、ウクライナ系アメリカ人の勢力はポーランド系やギリシア系のように強くないが、それでも第一次世界大戦中のウクライナ独立運動を支持したり、大戦間のウクライナ大飢饉のときには世界の注意を喚起したり、第二次世界大戦後の冷戦時にはソ連と戦うウクライナ人パルチザンたちの救助を行った。またウクライナの独立後、アメリカは何かとウクライナの肩をもつ姿勢をとっているが、その理由のひとつとしてウクライナ系アメリカ人の存在があるといわれている。

カナダではウクライナ人はマニトバ、サスカチュワン、アルバータ三州の平原地帯に農民として定住し、成功している。今から二代前のカナダ総督ナティシャン、前サスカチュワン州首相ロマノウ、前アルバータ州首相クラインはウクライナ系であり、政治的にも力を有している。カナダではテレビでウクライナ語の放送も行われている。ウクライナ語の辞書、学習書、ウクライナ史の書物もカナダで出版されたものが多い。私自身もウクライナに在勤していて、この移民による結びつきの強さに驚かされたものである。独立後ウクライナ政府に派遣されている各種顧問やウクライナとビジネスを行おうとしている者にはウクライナ系のアメリカ人、カナダ人が多いが、彼らはまるで自分の国のことのようにウクライナを愛し、ウクライナの役に立とうとしている。そして独立ウクライナ政府も米加両国をことのほか頼りにしていることがよくわかった。

穀倉地帯と港町オデッサ

先に農奴制を廃止しても農民の生活は改善されなかったと述べたが、それにもかかわらずウクライナは大穀倉地帯となり、「ヨーロッパのパン籠《かご》」となった。それは従来からの農村が疲弊したのに対し、一八世紀末以来のドニエプル川流域および南ウクライナのステップ地帯が一部の貴族、資産家などにより組織的かつ大規模に開墾され、もっぱら輸出を目的としたアグロ（農業）ビジネスとして開発された結果である。ステップ地帯はそれまで耕作者がいなかったため広大な土地の取得が安く簡単にでき、しかも土壌は肥えていたし、積出港にも近かった。一九世紀はじめにはステップ地帯で八〇万ヘクタールの農地があったが、一八六〇年代までに六〇〇万ヘクタール増加した。こうしてこの地域はロシア帝国最重要の穀物生産地になった。帝国の最大の作物である小麦については、一八一二〜五九年の間にロシアの小麦輸出の七五％はウクライナから輸出された。一九〇九〜一三年には、ロシアの小麦輸出の九八％、とうもろこしの八四％、ライ麦の七五％がウクライナから輸出された。また世界の穀物生産の見地からもウクライナは重要な地位を占め、一九〇九〜一三年の間、全世界の大麦の四三％、小麦の二〇％、とうもろこしの一〇％はウクライナで生産された。

穀物ではないが換金作物として大きな経済的意味をもったのが砂糖大根（ビート）の生産と砂糖精製工業だった。ヨーロッパでドニエプル右岸地方ほど砂糖大根の栽培に向いた土地はないとされた。砂糖産業はブラニツキ、ポトツキなどのポーランド貴族、ボブリンスキーなどのロシア人、テレシチェンコ、シミレンコなどのウクライナ人、ブロツキー、ハルペリンなどのユダヤ人の百万長者を生んだ。砂糖工業の中心地であったキエフには当時建てられたテレシチェンコ家の「砂糖御殿」が残っており、今は美術館になっている。左岸の換金作物はタバコであり、当時はロシア帝国全体の半分以上を生産していた。その他ウクライナはウォッカの生産でも有名であった。これら穀物、砂糖、タバコ、ウォッカは今でもウクライナの主要農産物（およびその加工品）である。

主に穀物の輸出のため黒海沿岸にはオデッサ、ミコライイフ、ヘルソンなどの港町が一八世紀末から建設され、急速に発達した。最大の港はオデッサであった。オデッサは古代黒海北西岸にあったギリシア植民都市オデッソス（ギリシア神話の英雄オデッセウスから来た名）にちなんで名づけられた。オデッサは一七九四年、エカテリーナ二世の勅令にもとづいて建設され、一八一七年に無税の特権を得てから目覚ましい発展を遂げた。そして一八六五年オデッサとポディリア地方を結ぶウクライナ最初の鉄道が敷設され、穀物の内陸輸送が可能となるとその発展に拍車がかかった。一八四七年には全ロシアの穀物輸出の半分以上がオデッサ港からなされた。まさに穀倉とオデッサ港は表裏の関係にあった。

オデッサの人口は一八六〇年には一一万人だったが、一八九七年には四〇万人となり、ウクライナ最大の都市に、またロシア帝国全体でもサンクト・ペテルブルグ、モスクワに次ぐ第三の都市に急成長した。

オデッサの初期の長官には、一七世紀フランスの大政治家リシュリュー枢機卿《すうきけい》の流れを汲む、フランス人貴族アルマン・エマニュエル・ド・リシュリュー（一七六六〜一八二二）が任命されてオデッサの港や町の発展に力を尽くした。彼は一八一四年フランスに帰国後ルイ一八世の首相になっている。映画『戦艦ポチョムキン』の中で乳母車が転げ落ちるシーンで名高い海岸端の大階段を登った広場にはリシュリューの功績を讃えてその像が立っている。また詩人プーシキンは、首都から追放中の一時期、オデッサ駐在の新ロシア総督ヴォロンツォフ伯爵（一七八二〜一八五六）の部下だったこともある。ヴォロンツォフ伯爵は教養ある人物でオデッサのためにも貢献したが、プーシキンが伯爵夫人に言い寄ったこともあり、プーシキンとヴォロンツォフとの折り合いは悪かった。そのためプーシキンは自分の作品の中で伯爵を悪く書いているらしい。

新興の港町オデッサは、ロシア帝国にとって世界への南の窓であった。コスモポリタンな都市で、輸出業はギリシア、イタリア、ドイツ、ユダヤの商人たちによって行われていた。その他トルコ人、アルメニア人、西欧・東欧の諸民族が雑多に住んでいた。同じ正教徒ということでギリシア人の数は多く、トルコからの独立運動の拠点になった。ユダヤ人の数は次第に増加し、ロシア革命直前には市の人口のほぼ半分を占め、ロシア・東欧のユダヤ世界の中心となった。そのユダヤ人の中からオイストラフ（一九〇八〜七四）、ミルスタイン（一九〇四〜九二）、ギレリス（一九一六〜八五）などの音楽家、バーベリ（一八九四〜一九四一）などの作家が生まれた。またレーニン、フルシチョフ、ブレジネフとも親しかった異色のアメリカ人実業家アーマンド・ハマー（一八九八〜一九九〇）も父はオデッサ出のユダヤ人である。バーベリは『オデッサ物語』(一九三一年)の中でオデッサのユダヤ人スラム街モルダヴァンカを躍動的に描いている。ロシア文学者中村唯史氏は、当時のオデッサの文学青年たちの雰囲気を伝えるものとしてスラーヴィンの次の一節を紹介している。

オデッサに住む人々の性格には、反省や自己省察といった要素が少しもなかった。彼等には抽象への嗜好が全く欠けていた。……この街の濃く永遠に青い空の下に住んでいたのは、何かを理解するためにはすべからくそれを手でじかに触り、歯でかんでみなければ気のすまない人々であった。オデッサでドストエフスキイが人気を博したことは一度もない。トルストイは愛好されたが、それは彼の哲学を抜きにしての話である。この街の文学青年の脳裏に花開いたのはプーシキン、バルザック、スチーブンソン、チェーホフなどであった。

(バーベリ著『オデッサ物語』解説より)

なお一九世紀末にはロシア帝国内に五二〇万人のユダヤ人が住んでいたが、そのうちウクライナには二〇〇万人いた。ユダヤ人は都市の民であり、ウクライナの都市では都市人口の五三%以上がユダヤ人であった。その中でも右岸の小都市では人口の七〇~八〇%がユダヤ人であった。シャローム・アレイヘム(一八五九~一九一六)の『牛乳売りテヴィエ』(一八九四～一九一三年）をミュージカル化した『屋根の上のバイオリン弾き』は、南ウクライナのユダヤ人のコミュニティーを哀感を込めて描いている。ユダヤ人には金持ちもいたが、大部分は貧しい小商人や職人、工場労働者であった。それでも同じく貧しいウクライナ人の農民には、ユダヤ人は商人、高利貸、荘園の管理人等の職業に就いて自分たちを搾取するけしからぬ人種に見えた。こうして「ポグロム」と呼ばれるユダヤ人に対する集団暴行、略奪が一八八一年、一九〇三年と起きたが、これらはロシア帝国の中でもとくにウクライナで大規模に起こった。官憲は暴行を黙認したという。ユダヤ人は深刻な打撃を受け、一九世紀末多くが新大陸に移住した。彼らの子孫は現在のユダヤ系アメリカ人の核となっている。

工業化

ウクライナの近代化・工業化の先駆けとなったのは鉄道建設であった。一九世紀後半にはヨーロッパ全体に鉄道ブームが起こり、ロシア帝国もその例外ではなかったが、とりわけロシアにおいては、クリミア戦争の敗北の大きな原因は運輸インフラの未整備にあったことが認識され、軍事用、経済用に鉄道網整備のラッシュが起こった。

ウクライナにおいては、前述のとおり穀物輸送のため一八六五年にオデッサとポディリア県のバルタを結ぶ鉄道が建設されたのが最初である。一八七〇年代には鉄道建設は絶頂期を迎え、ウクライナ主要都市間、またウクライナとモスクワを結ぶ鉄道網が整備された。穀倉とオデッサ港と鉄道は三位一体の関係にあった。

鉄道の建設と運行には石炭と鉄が必要である。そしてウクライナ東南部は石炭と鉄との大宝庫であることがわかった。石炭はドンバス地方で大炭田が発見され、石炭採掘産業が急発展した。一八七〇〜一九〇〇年の間にドンバス地方で石炭生産は一〇〇〇％伸びた。一八八〇年には二五〇以上の炭田が存在し、帝国全体の四三％の石炭を生産して、帝国最大の産地となった。

石炭ブームの一〇年後、すなわち一八八〇年代に製鉄業の大ブームが起こった。クリヴィーリフ（ロシア語名クリヴォイログ）の鉄鉱山で採掘される鉄鉱石を使用して、ドニエプル・ドンバス地方に一大製鉄業地帯が出現した。鉄鉱石の生産については一八九〇〜一九〇〇年にウラル地方では四倍になったが、ウクライナでは一五八倍に増加した。

こうしてロシア帝国末期にはウクライナ東南部は帝国最大の工業地帯に発展したが、この過程は当時のヨーロッパ全体からみてももっとも急速な工業化であった。ただこうして成立したウクライナの工業は、原料・素材産業に偏っており、最終製品をつくる産業は発達しなかった。一九一三年にはウクライナは採掘産業では帝国全体の七割を占めたが、最終製品では一五％を占めるのみであった。より付加価値の高い最終製品ではウクライナはロシア本体に依存するほかなかった。

ウクライナで重工業が急成長すると工場労働者が必要になってくるが、その労働者は近郊の農村から集められるという単純な形にはならなかった。既述のように農民は土地不足と人口増で捌《は》け口《くち》に困っており、確かに相当数が工業地帯に流れたが、それ以上に工場労働者になったのはロシア人であった。前述のとおり、ウクライナの都市は以前よりポーランド人、ユダヤ人、ロシア人の住んでいるところであり、そこでの言語、生活様式は農村に住むウクライナ人のものとは大きく異なっており、農民にとって都市は居心地の悪い異質な世界であった。したがって工業化にともない労働者が必要となっても農民は必ずしも都市に働きに出なかった。それよりも農業に固執して、新しい土地を求めて極東地方などに移住した者も多かった。雇用者のほうも農民のウクライナ人よりも即戦力の熟練労働者としてロシア人を連れてくることを好んだ。

ロシア人がウクライナにはじめて入ってきたのはヘトマン国家の役人や都市の住民としてであったが、その数は限られていた。彼らが大量に入り込んできたのは一九世紀後半の工業化によってである。一八九七年ロシア帝国下のウクライナにおけるロシア人の人口は三〇〇万人で、その比率は一二・四%まで高まった。こうして一方では官僚、地主、知識人、芸術家、実業家などの指導階層が、他方では工場や鉱山の労働者が主としてロシア人によって占められることになった。たとえばフルシチョフはロシア人であるが、その父も、また本人も若い頃はドンバスの鉱山町で働いた。南部重工業地帯の熟練労働者のうち石炭産業では二五%、製鉄などの金属産業では三〇%のみがウクライナ人であった。都市におけるロシア人の比率も増大し、一九世紀末ドニエプル川地域では三四%になり、とくにミコライイフ、ハルキフ、キエフの各都市ではロシア人の人口比率は半分を超え、オデッサ、カテリノスラフ各市でも半分近くにまでなった。

こうして一八六〇年には八・二万人だった工場労働者の数は、一九一四年には六三〇万人に膨れ上がった。きわめて短期間に生まれた工場ではその勤務条件は劣悪であり、低賃金で、安全対策、医療対策などほとんど存在していなかった。労働者と雇用者との間の紛争は増加した。労働者はプロレタリア化した。かかる状況の下でウクライナも一九一七年のロシア革命を迎えることになる。

ウクライナ生まれの芸術家・学者

ロシア帝国支配下のウクライナでは多くの芸術家・学者が輩出した。そのうち幾人かについてはすでに触れたが、あらためて紹介したい。彼らのほとんどは二〇世紀に活躍したが、いずれもこの時代に生まれたので一括して挙げる。

まず作家としては、ウクライナ人にゴーゴリ、タラス・シェフチェンコがおり、ロシア人に『白銀公爵』の作者アレクセイ・トルストイ（一八一七〜七五）、キエフ生まれのミハイル・ブルガーコフ（一八九一〜一九四〇）がいる。ユダヤ人には、『屋根の上のバイオリン弾き』の原作者シャローム・アレイヘム、オデッサ生まれのイサーク・バーベリ、キエフ生まれのイリヤ・エレンブルグ（一八九一〜一九六七）がおり、ポーランド人には、ジョゼフ・コンラッド（一八五七〜一九二四）がいる。

コンラッドは本名コジェニョフスキといい、シュラフタ階級の出で、右岸キエフ県ベルディチェフ近郊のテレホヴェ村で生まれた。彼の父、長兄、次兄ともポーランド独立運動の闘士であった。若くして父を亡くしたコンラッドは一六歳で船乗りとなり、一八八六年にはイギリス船の船長の資格を取り、またイギリスに帰化した。そして彼は後に覚えた英語で文壇に登場し、今では二〇世紀初頭を代表するイギリス文学者とされている。

音楽家としては、ロシア人に左岸ポルタヴァ県ソンツォフカ生まれの作曲家セルゲイ・プロコフィエフ（一八九一〜一九五三）がいる。彼は子供の頃ウクライナ民謡に触れ、それが後の彼のバレー曲『ドニエプルの岸辺で』（通称「ボリステーヌの岸辺で」、一九三〇年）、オペラ『セミョン・コトコ』（一九三九年）、映画音楽『ウクライナ草原のパルチザン達』（一九四二年）などに反映しているといわれる。

その他、ユダヤ人にキエフ生まれのピアニスト、ウラディミール・ホロヴィッツ（一九〇三〜八九）、左岸カテリノスラフ（現ドニプロペトロフスク）生まれのチェリスト、グレゴール・ピアティゴルスキー（一九〇三〜七六）、右岸クレメネッツ生まれのヴァイオリニスト、アイザック・スターン（一九二〇〜二〇〇一）、オデッサ生まれのヴァイオリニスト、ダヴィッド・オイストラッフ（一九〇八〜七四）、ヴァイオリニスト、ナタン・ミルスタイン（一九〇四〜九二）、ピアニスト、エミール・ギレリス（一九一六〜八五）、ドイツ系に右岸ジトーミル生まれのピアニスト、スヴャトスラフ・リヒテル（一九一五〜九七）らがいる。

画家としては、ロシア人にハルキフ近郊の生まれでロシア史上最大の画家と愛されているイリア・レーピン（一八四四〜一九三〇）、ギリシア系にアゾフ海岸のマリウポリ生まれで本書まえがきでも言及したアルヒープ・クインジ（一八四二〜一九一〇）、アルメニア系にクリミアのフェオドシアで生まれた海洋画家イヴァン・アイヴァソフスキー（一八一七〜一九〇〇）、ポーランド・ウクライナ系にキエフ郊外の生まれで、アヴァンギャルド芸術の創始者カジミール・マレーヴィッチ（一八七八〜一九三五）がいる。

舞踊家にはポーランド人でキエフ生まれのヴァーツラフ・ニジンスキー（一八九〇〜一九五〇）がいる。

科学者・技術者も多士済々である。イリア・メチニコフ（一八四五〜一九一六）は、ハルキフ生まれのユダヤ人細菌学者である。彼は免疫学の創始者で、一九〇八年ノーベル生理学・医学賞を受賞した。また彼は晩年、ブルガリアに長寿者が多いのはヨーグルトを飲用しているからだとしてヨーグルトの飲用を勧めたことでも知られている。セルマン・ワクスマン（一八八八〜一九七三）は、チェルニヒフ州プリルキ生まれのユダヤ人で、結核の治療に劇的な効果をもたらした抗生物質ストレプトマイシンを発見し、一九五二年ノーベル生理学・医学賞を受賞した。抗生物質という言葉を作ったのも彼である。イゴール・シコルスキー（一八八九〜一九七二）はキエフ生まれのウクライナ人で、ヘリコプターの実用化に貢献した。アメリカにはヘリコプターのトップ・メーカーのシコルスキー社がある。ジョージ・ガモフ（一九〇四〜六八）はオデッサ生まれで、ロシア人の父とウクライナ人の母をもつ物理学者で、宇宙創生のビッグ・バン理論を提唱し、DNAについても先駆的な研究をした。セルゲイ・コロリョフ（一九〇七〜六六）は、ロシア人でジトーミル生まれのロケット技術者である。彼はソ連の秘密主義のせいでいまだ世界的によく知られているとはいえないが、ソ連のフォン・ブラウンともいうべくロケット技術者の最高峰で、大陸間弾道弾、人工衛星ヴォストーク、ソユーズ、コスモスなどの打ち上げにもっとも功績があった人物である。

以上、人の名前を羅列したが、列挙に値する人々であることは読者にも納得いただけると思う。いずれにせよ植民地状態にあったこの地で世界の歴史に名を残すほどの人材がなぜこれほど多く生まれたか不思議なほどである。

第六章　中央ラーダ――つかの間の独立

ウクライナの独立はなぜ続かなかったのか

第一次世界大戦とロシアのボリシェヴィキ革命は、ロシアおよび東欧の地図をすっかり塗り替えた。ロシアでは帝政が倒れ、ソ連（ソヴィエト社会主義共和国連邦）という新しい国家が生まれた。民族自決の原則に従って旧ロシア帝国の支配下にあったリトアニア、ラトヴィア、エストニア、フィンランドのバルト・北欧諸国が独立し、オーストリア・ハンガリー帝国下のポーランド、チェコ・スロヴァキア、ハンガリーも完全独立を果たした。

ところがウクライナは、独立を達成したこれら諸国に比べても圧倒的に大きなエネルギーを独立運動に投入し、また絶大な犠牲を払った。この大戦でウクライナほど各国の軍隊によって蹂躙された地はヨーロッパにないほどである。それにもかかわらず独立はつかの間の夢に終わり、結局大部分はロシアを引き継いだソ連の、そして残りはオーストリアを引き継いだポーランドの支配下（つまり大戦前とほぼ同じ状況）に戻されてしまった。ベラルーシには当時独立運動というものはほとんど存在していなかったことを考えると、この地域でひとりウクライナのみが、第一次世界大戦、ロシア革命、パリ講和会議の配当を受けなかったことになる。これはどうしたことであろうか。以下にその経緯と原因を探ってみよう。

第一次世界大戦とロシア革命

第一次世界大戦では、ロシアは英仏側の「連合国」（または「協商国」）となり、オーストリアはドイツ側の「同盟国」となったため、同じウクライナ人が敵味方に分かれて戦わなければならなかった。ウクライナ人はロシア軍に三五〇万人が、オーストリア軍には二五万人が動員され、自分たちを抑圧している国のために戦った。

東西ウクライナのうち、独立への動きが早かったのはオーストリア支配下のウクライナ人であった。彼らは大戦勃発直後の一九一四年八月「全ウクライナ評議会」を結成した。同評議会は、立憲君主制のオーストリアが勝ち専制君主制のロシアが負けることがウクライナ民族の解放につながるとしてロシアへの戦いを呼びかけ、ウクライナ人の義勇軍を募った。これには二万八〇〇〇人が応募したが、その数の多さにオーストリア政府が警戒し、二五〇〇人に制限するほどであった。この部隊はオーストリア正規軍に編入されたが、これが近代における最初のウクライナ軍組織であり、後に「ウクライナ・シーチ射撃隊」と呼ばれ、大活躍することになる。シーチとは、ザポロージェ・コサックの本拠地を意味する言葉であり、ハーリチナの地でもコサックの伝統が強く意識されていたことをうかがわせる。

しかし独立の動きが活発化する前、同年九月ロシア軍はハーリチナへ侵入したため、ウクライナ民族主義の活動家はウィーンに避難しなければならなかった。退却にあたってオーストリア軍は親ロシア派と考えられた多数のウクライナ人を逮捕し、収容所に入れ、また処刑した。一方ハーリチナを占領したロシアもウクライナ文化やユニエイト派を弾圧した。一九一五年五月、オーストリア軍は反撃に転じハーリチナの大半を取り戻した。その後は戦線の膠着状態が続いた。

ハーリチナの独立運動が停滞しているうちに、ロシア帝国下のウクライナで絶好の機会が訪れた。一九一七年二月、首都ペトログラード（サンクト・ペテルブルグという名がドイツ語だとして対独戦開始後に改名された）で起こった二月革命である。食糧不足に抗議して起きた労働者のデモに兵士が発砲を拒否したことからデモや軍隊の不服従が全国的に広がり、ついにニコライ二世は退位し、ここにロシアの帝政はあっけなく終焉した。ツァーリの政府を継承したのは国会（ドゥーマ）のリベラル派を中心とする「臨時政府」であったが、社会主義者が主導権を握る労働者・兵士代表の「ソヴィエト」(評議会)がこれに鋭く対立し、事実上二重権力状態となった。

キエフに二月革命の報が伝わると、三月ただちにウクライナの諸政党や社会・文化・職業団体の代表が集まり、「ウクライナ中央ラーダ」が結成された(「ラーダ」は会議、評議会を意味するウクライナ語で、ロシア語の「ソヴィエト」に相当するが、今後慣例に従い、民族主義的組織には「ラーダ」を使い、ロシア語を使用していたボリシェヴィキの組織には「ソヴィエト」を使用する)。中央ラーダは、それぞれの組織の政治信条を一時棚上げしてロシア連邦の枠内でウクライナの自治という共通の目標を達成するための諸組織間の調整機関として作られた。そしてこの中央ラーダの議長には、ウクライナ史の権威で民族主義運動の象徴的存在だったミハイロ・フルシェフスキーが選出された。中央ラーダの主要勢力は、ヴォロディーミル・ヴィンニチェンコ(一八八〇~一九五一)やシモン・ペトリューラ(一八七九~一九二六)が指導する「ウクライナ社会民主労働党」(USDRP)とフルシェフスキーらが指導する「ウクライナ社会革命党」(UPSR)であり、いずれも社会主義政党であった。またこれと並行してハルキフはじめロシア化した都市にはボリシェヴィキ主導の労働者・兵士ソヴィエトが作られた。労働者・兵士ソヴィエトにはロシア人やユダヤ人が多く、彼らはウクライナ・ナショナリズムを革命の裏切りであると非難した。

中央ラーダ結成の後、全国の諸団体の代表を集めた「全ウクライナ国民大会」や労働者、兵士、農民の職能大会が次々と開かれたが、これらはいずれも中央ラーダを支持し、同ラーダに代表を送り込んだ。こうして中央ラーダはその権威を高め、ウクライナの議会としての機能を果たすようになっていった。中央ラーダはペトログラードにヴィンニチェンコらの代表団を送って自治を要求したが、臨時政府はこれを拒否した。臨時政府はウクライナに自治を与えると戦争の継続ができなくなると恐れたといわれている。しかしこの拒否に反発した中央ラーダは六月、「第一次ウニヴェルサル（宣言）」を発し、ウクライナは連邦ロシア内の自治の地であることを宣言した。「ウニヴェルサル」とはフメルニツキーやマゼッパらのコサックのヘトマンが出したアピールの名であり、多くが社会主義者である中央ラーダのメンバーたちも自分たちがコサックの遺志を継ぐものと考えていたことがわかる。ただこの時点ではウクライナの民族主義者たちもロシア内での自治を要求するにとどまっており、完全独立までは考えていなかった。

同月に中央ラーダは内閣にあたる執行機関として「総書記局」を作り、その長には作家のヴィンニチェンコが就任した。また軍事はペトリューラが担当することとなった。ペトリューラは古いコサックと聖職者の家系の出で、ポルタヴァ近郊に生まれた。ポルタヴァ神学校を民族主義・革命思想の廉《かど》で放校になって以来、党活動家および雑誌の編集者兼作家として民族主義運動に専念していた。

ペトログラードの臨時政府は、ウクライナでナショナリズムの熱気が盛り上がっていることと中央ラーダがウクライナの主たる政治勢力になっていることに気づいた。折しもロシアではコルニーロフ将軍（一八七〇～一九一八）による反革命の気運が盛り上がり、臨時政府は脆弱な立場にあった。臨時政府はウクライナが独立することを恐れ、七月ケレンスキー陸海相（一八八一～一九七〇）らの代表団をキエフに送った。交渉の結果、臨時政府は中央ラーダを承認し、その支配地域をキエフ、チェルニヒフ、ポルタヴァ、ヴォルイニ、ポディリアの五県に限って認めるが、臨時政府の支配下にとどまり、これ以上の自治の要求はしないことで合意が成立した。この結果は第二次ウニヴェルサルに盛り込まれた。この合意は臨時政府の力が弱まっていたことと中央ラーダの権威が高まっていたことの結果として成立したものであるが、これによりはじめてウクライナの自治が認められ、中央ラーダとその総書記局がウクライナの政府として認められた。

ウクライナ国民共和国

そして次に起きたのが十月革命ないしはボリシェヴィキ革命である。一九一七年一〇月レーニンの指導するボリシェヴィキはペトログラードにおいて武力により臨時政府を倒し、ソヴィエト政府を樹立した。ウクライナ中央ラーダはこの暴力による権力奪取を認めず、ボリシェヴィキを非難した。また臨時政府の消滅にともない一一月中央ラーダと総書記局は、第三次ウニヴェルサルを発表し、「ウクライナ国民共和国」の創設を宣言した。ウクライナは国家の樹立を宣言したが、ロシアとの連邦の絆《きずな》は維持するとした。ただラーダはペトログラードのボリシェヴィキ政権を認めておらず、といってロシア中央に他の民主的政府も存在していない状況ではこれは事実上ウクライナの独立宣言であった。現に当時ウクライナでは中央ラーダが圧倒的な支持を得ていたことからすれば、この時点から独立国ウクライナが存在し始めたといっても間違いないであろう。

第三次ウニヴェルサルで謳われたウクライナ国民共和国の原則は社会主義的な要素をも含むが、きわめて民主的なものであった。すなわち、言論・出版・信条・集会・ストライキの自由、個人の不可侵、死刑廃止、政治犯の大赦、少数民族の自治の権利、八時間労働、土地の私有の制限、生産手段の規制、戦争の終結などである。また領域も上記五県にハルキフ、カテリノスラフ、ヘルソン、タウリダ（クリミアをのぞく）を加えて九県となり、ほぼロシア帝国時代のウクライナの領域を回復した。

ウクライナの地に中央ラーダの権威が確立されてきたことに各国も注目し、オブザーバーをキエフに送った。とくに英仏は中央ラーダ政府が独墺と独自に和平交渉を行うことを防ぐため、ウクライナ国民共和国を承認し、代表をキエフに送った。

さてここで日本も少し登場してくる。ウクライナ史学者のジュコフスキーは、英仏など連合国の一員であった日本も一九一七年（大正六年）七月、在ペトログラードの日本大使館のアシダ館員を中央ラーダに送り、ウクライナ情勢を観察させ、また同年一一月には同大使館付武官のタカヤナチ将軍（ロシア大本営付武官高柳保太郎少将のこと）を長とする軍事ミッションをキエフに開いたと記述している。この高柳ミッションが単なる情報収集のためだったのか、あるいはもっと積極的に日本としてもボリシェヴィキを潰すため中央ラーダを盛り立てていこうとの意図に出たものか詳細は不明である。

芦田均のキエフ訪問記

ところで、上記のアシダ館員とは、戦後日本の首相となった芦田均（一八八七〜一九五九）のことである。芦田は革命直前のペテルブルグの日本大使館に若き外交官補として赴任し、二月革命、十月革命を現地でつぶさに観察し、『革命前夜のロシア』（一九五〇年）という優れた回想録を残した。この回想録を読むと、彼がまだ二〇代後半でありながら、ロシアの高官や貴族・財閥実業家らとつき合って情報を得たり、公爵家で令嬢がたのトランプのおつき合いをしたり、また音楽会に足繁く通ったりするなどロシア帝国滅亡直前の最後の輝きのような時代をいかに過ごし、またその優雅な時代が突然終わって激動の革命期を迎え、身の危険を感じながら緊張した日々をいかに送ったかが鮮やかに描かれている。

芦田によるペテルブルグの回想はとびきり面白いので詳しく紹介したいところだが、紙面の都合上それは原典を読んでいただく他ない。ここでは彼のウクライナ訪問を少し紹介したい。この旅行が公務出張か私的旅行かは同書でもはっきりとは述べられていない。おそらく両方の意味があったのであろう。まず彼のウクライナの描写である。

汽車は露都を出てから一日二夜、今、朝露のしっとりと置いたステップの中をキーエフの方角に走っている。

おお、ウクライナ、草長き南ロシア！

……

チョルニゴフからオデッサに拡がるドニエプル平野が北ロシアと異った特殊の姿は著しく旅人の眼に映る。土、草、人、一つ一つに南の国らしい面影が黒土帯の雲に連る緑の波と、処々に真黒く茂ったポプラスや白楊の葉と、小ロシア人の気軽な熱情的な眼なざしに掩《おお》うべくもなく表れている。

……

百年、二百年の昔、ゴーゴリの書いたタラス・ブーリバの当時のステップは、強烈な日の光が造化の余威を心行く許り草木の上に輝いて、平原の子の心に遠征の血を湧かしめた。丈長き草の間からコザックの黒い毛帽子の頂辺が見えつ隠れつしたのは其頃のことである。

芦田はキエフの製糖業財閥ガルペリン（ウクライナ語名ハルペリン）家とその仲間のベルニンソン家とはペテルブルグでしばしば食事をともにしたり、夜会で会うことも数知れないほどの仲であったので、キエフ訪問にあたっては同地の両家を訪れ、両家の夫人や娘たちと食事をしたり、四方山《よもやま》話に耽った。そしてその伝《つて》で同地の有力者らとも会ってウクライナ自治運動についての情報を得た。しかし同時にキエフの街は騒然としていた。芦田の滞在二日目、キエフ滞在中の小ロシアの連隊が戦線行きを嫌って軍管区司令官を逮捕するなどの騒擾を起こした。三日目朝には、芦田は川向こうに退却した騒擾兵が打ち出す砲声で眼が覚めたという状況であった。

ただ芦田がキエフで会った人たちはロシア帝国における既得権益の受益者たちであったせいか、彼はウクライナ自治運動については冷たい。

今日ウクライナ運動が多少とも勢力を占めているように見えるのは、戦争反対の空気が民族独立の名をかりて愚民を煽動している結果に過ぎないのである。只《ただ》北方ロシアに於ては親独党は反動保守であり、南方に於てはそれがナショナリストと呼ばれているのは、独墺勢力が浸透している証左ともいえるであろう。

芦田のキエフ滞在は数日であったにもかかわらず、彼にはとりわけ想い出深いものであったようで、次のように記している。

ドニエプルの川蒸気の甲板で舷に砕ける波の音を聞き乍《なが》ら、私は次第次第に遠ざかって行くキーエフの寺の尖塔をぽつねんと眺めた。

私の見たロシアの中で一番になつかしみの多いこの古い都を今去って、又何時《いつ》来ることかと思うと、僅かに四五日の馴染とは云い乍ら一脈の哀愁が胸に浮き上るのを覚えた。

……

ドニエプルの流は右に左に曲りくねり、黄色い波に渦を巻いて滔々《とうとう》と流れている。右の岸には小高い岡が続く。処々に夕日に光った寺の屋根が見えたり、百姓家の赤黒い壁が顕れたりする。左手は収穫の終った一面の平野に枯草の束ねたのが豆を蒔いた様に点在している。静かに川岸にさ迷うている牛や羊の傍に、羊飼の子供が船を見かけて頭巾を振り乍ら大声に叫んでいる。枯草を積んだ渡船の船頭が歌う長閑《のどか》な寂しい調子が川の面を流れる。太古の儘《まま》の静かな景色をじっと見ている中に、私の眼には何故とも知れず涕《なみだ》がにじみ上った。

芦田はこの約一〇年後在トルコ大使館勤務の時代にオデッサからクリミア方面を旅行したが、涙をもって別れたキエフを再び訪れることはなかったようだ。

ボリシェヴィキの登場

さて、本題に戻るとしよう。一方でロシアにボリシェヴィキ政権が樹立され、他方でウクライナに民族主義的な中央ラーダ政府が成立すると、必然的に両者の対立が生じてくる。ボリシェヴィキ政府は、ウクライナは当然ロシアの枠内に入るべきものとし、したがって中央ラーダのナショナリズムを反革命のブルジョワ・分離主義者とみなした。穀物、砂糖、石炭、金属などの産業でウクライナはロシアにとって不可欠な存在であり、ウクライナをロシアから分離することなどは、ロシア人であれば王政派であろうと共産主義者であろうと考えられないことであった。ボリシェヴィキは当初ソヴィエト勢力を中央ラーダに入り込ませて内部から乗っ取ろうとしたが、ウクライナにおけるボリシェヴィキの勢力は一九一七年一二月の時点では全体の一割程度であり、議会を通じて権力を握ることには失敗した。そこでボリシェヴィキは武力を使ってでも単独でウクライナを手中に収める方針に切り替えた。そのためハルキフに「ウクライナ・ソヴィエト共和国」を樹立して受け皿とした。

ボリシェヴィキは、鉄の規律を誇り、また宣伝・謀略に長けていた。そして何よりもロシアのボリシェヴィキという強力なバックを有していたし、レーニンという稀代の戦略家をリーダーにもっていた。ウクライナのボリシェヴィキは、当初はロシアのボリシェヴィキとはかなり独立して行動していたが、次第にロシアに呑み込まれていき、ついにはソヴィエト政府が中央集権的にウクライナの事項を決定するようになっていった。

一九一七年一二月ペトログラードのソヴィエト政府は、レーニン、トロツキー署名の最後通牒をウクライナ政府に送り、ウクライナでボリシェヴィキ軍の自由行動を認めることなどを要求し、その代わりウクライナ国民共和国を承認すると通告してきた。ウクライナ政府はこれを拒否した。かくてボリシェヴィキは武力でウクライナを奪い取ることを決めた。ボリシェヴィキは、一方では煽動者をキエフに送って反乱の準備をさせ、他方ではロシアで編成されたアントノフ・オフセエンコ（一八八三～一九三八）とムラヴィヨフ（一八八〇～一九一八）の指揮するボリシェヴィキ軍一万二〇〇〇をキエフめざして進撃させた。こうして、以後中断を含みつつも一九二一年末まで四年間続くウクライナ民族主義者とボリシェヴィキの壮絶な戦いが始まるのである。

中央ラーダ軍はシーチ射撃隊、自由コサック民兵団、ロシアに捕虜になっていたハーリチナのウクライナ人部隊、学生の隊など雑多な部隊約一万五〇〇〇からなっていた。しかしそれもボリシェヴィキの煽動により離脱が相次いでいた。ボリシェヴィキ軍は各地を勝ち進んだ。その軍勢は一九一七年一二月には四万にまで拡大した。かくて一九一八年一月キエフではラーダ側とボリシェヴィキ側との間で一日に何度も勝者が変わるほどの市街戦が行われた。また市をボリシェヴィキ軍が包囲した。中央ラーダは一月第四次ウニヴェルサルを発して、ウクライナは完全な独立国であることを宣言した。しかし中央ラーダは抗しきれず、ついに二月キエフを撤退し、一三〇キロ西方のジトーミルに逃れた。ボリシェヴィキ軍はキエフの主となった。これが、ボリシェヴィキがキエフに入った最初であったが、以後何度にもわたるキエフ攻防戦の最初のものであった。ボリシェヴィキ軍はウクライナの左岸、南部、さらに右岸の一部などウクライナの大半を手中にした。しかし今回のボリシェヴィキのキエフ占領はわずか数週間の短いものであった。

中央ラーダ政府にとってボリシェヴィキに対抗する唯一の手段は、独墺らの同盟国の支援を得ることだった。ウクライナでロシア帝国、臨時政府の後を継いだ中央ラーダ政府は依然として独墺とは戦争状態にあったが、ウクライナには戦争を継続する意思も力もなかった。ボリシェヴィキは、政権獲得以来、戦争を終結すべくブレスト・リトウスクにおいて独墺らの同盟国と和平交渉を始めていたが、中央ラーダ政府はボリシェヴィキがウクライナを代表することは許せないとして自らの代表団をブレスト・リトウスクに送った。そして独自に独墺と交渉した結果、一九一八年二月ロシアとは別個の講和条約に調印した。同条約では、独墺はウクライナ政府を支援してボリシェヴィキと戦うが、その代償としてウクライナ側は食糧一〇〇万トンを供給するとしたものである。ドイツも、そしてとりわけオーストリアは極端な食糧不足に悩んでおり、ウクライナの穀倉は喉から手が出るほど欲しかったのである。

ブレスト・リトウスク講和条約による要請を受けて独墺軍は四五万の軍勢をもってウクライナに進駐した。ドイツ軍はジトーミルで態勢を立て直した中央ラーダ軍とともに三月キエフをめざした。ボリシェヴィキは数週間街を略奪、破壊した後、ドイツ・ウクライナ軍との衝突を避けてキエフから撤退した。独墺軍は四月中にはウクライナのほとんどの地をボリシェヴィキから奪い返した。

ウクライナを取り戻したものの、ドイツ軍の存在はウクライナ人からは甚だ不評だった。ドイツ軍は主人面をして内政に干渉するし、何よりも膨大な量の穀物を農民から取り立てた。他方ドイツ側から見ると中央ラーダ政府は若い未経験なインテリの集まりで、肝心な食糧調達をする行政能力に欠けていた。ドイツ軍は中央ラーダ政府に愛想を尽かした。四月ドイツ軍は中央ラーダの会議場に乱入し、フルシェフスキー大統領の抗議にもかかわらず、中央ラーダを解散させ、同政府を廃した。ここに一四カ月にわたってウクライナの民族主義を主導した中央ラーダは消滅した。そしてウクライナの独立闘争の第一期が終わる。

ドイツ軍の傀儡

ドイツ軍が代わりに擁立したのはパヴロ・スコロパツキー将軍（一八七三〜一九四五）であった。彼は一八世紀初頭ピョートル大帝がマゼッパの後に据えたヘトマンであるイヴァン・スコロパツキーの弟の後裔で、ロシア帝国の貴族であり、ウクライナ最大の地主の一人であった。また軍人としてニコライ二世の副官をつとめるなど旧体制そのものという人物であった。彼は先祖にあやかり、またコサックのイメージで国民を惹きつけるため、ヘトマンの称号を名乗った。ヘトマン・スコロパツキーは立法・行政・軍事の全権を握ると表明し、ウクライナ国民共和国は「ウクライナ国」と改名された。また行政組織は中央も地方もすべてツァーリ時代に戻った。このヘトマン国家の支持母体はかつての地主やロシア人であり、ヘトマン政府は中央ラーダが農民に分配していた土地を再び地主に戻した。

しかし実際の主人はドイツ軍であった。ドイツ軍は、南部に進駐したオーストリア・ハンガリー軍と合わせると八〇万にもなり、ウクライナ全土に配置された。ドイツ軍の総司令官アイヒホルン元帥（一八四八～一九一八）と参謀長グレーナー将軍（一八六七～一九三九）が実際の支配者であった。ドイツ軍の最大の関心は穀物の調達であった。またスコロパッキーの回顧録によれば、ドイツ軍はウクライナの肥沃な黒土さえも貨車でドイツ本国にもち去った。穀物の調達をさせたドイツ軍も、させられたヘトマン政府もウクライナの政党、国民から大きな反発を招いた。そして各地に不服従や反乱が発生した。七月にはアイヒホルン総司令官自身が暗殺されるという事件も起きた。秋口には大戦におけるドイツ軍の敗北が不可避となり、ヘトマン政府は政党を取り込もうとしたが事態を改善するには至らなかった。

そして一一月一一日ドイツ軍が連合国に敗れ、休戦となった。ドイツ軍はウクライナから撤退し、ドイツの支配は突然終わることとなった。中央ラーダの残党たちは、取り残されたヘトマン政府に対する反乱を指導するため「ディレクトリア」（指導部）なる組織を作った。その長はヴィンニチェンコであり、軍事はペトリューラが握った。軍は主にシーチ射撃隊よりなっていた。ディレクトリア軍はキエフへの進軍途中でヘトマン軍と戦い、これを破った。一二月ペトリューラ率いるディレクトリア軍はキエフに入城した。ヘトマン・スコロパッキーはドイツへ亡命した。ヘトマン政府はわずか八カ月の命であった。そしてここでウクライナの独立闘争の第二期が終わる。ディレクトリアはウクライナ国民共和国を復活させた。

西ウクライナの独立

ハーリチナなどの西ウクライナでは一時独立の動きは停滞していたが、一九一八年一〇月からオーストリア軍が崩壊し始めると、再び独立の動きは活発になった。ただしここでは独立のために戦う相手はオーストリアではなく、西ウクライナを併合しようとしたポーランドであった。一〇月ハーリチナとブコヴィナのウクライナ指導者たちは「ウクライナ国民ラーダ」を結成し、ハーリチナ、ブコヴィナ、ザカルパチアの国民国家を設立することを宣言した。そして同月末それを支持するシーチ射撃隊がリヴィウの市庁舎等を占領した。青と黄のウクライナ旗が市庁舎に翻り、ウクライナ人は狂喜した。

こうして東ハーリチナの大部分はウクライナ人の支配下に入り、一一月一三日「西ウクライナ国民共和国」の設立が宣言された。しかしこの共和国の政府がリヴィウにあったのはほんの一週間ほどであった。当時リヴィウの街にはポーランド人のほうが多かったので、これをきっかけにリヴィウ市内でポーランド人とウクライナ人との熾烈な市街戦が始まった。そして結局ポーランド人勢力の攻勢に堪えられず、西ウクライナ国民共和国はリヴィウを撤退し、一九一九年一月には政府所在地を約一〇〇キロ南東のスタニスラヴィウ(現在のイヴァノ・フランキフスク市)に移さざるをえなかった。この政府は八カ月の命しかなかった。

西ウクライナ国民共和国はポーランドとの戦いに終始し、結局敗北したが、その戦いの過程で民族自決を支持する英仏等の協商国に期待してパリ講和会議に代表を送るなどして外交努力を重ねた。しかしフランスはドイツが再び強力になることを恐れ、ドイツの隣りのポーランドが強くなることを望んだため、ポーランドの東ハーリチナ併合を容認した。またポーランドは、ウクライナ民族とはドイツの発明であるとか、西ウクライナ政府はボリシェヴィキと同類といった宣伝を行い、それが協商国間で受け入れられてしまった。

対外的な支持が得られないまま西ウクライナはポーランドと不利な戦いを続けたが、六倍もの人口をもつポーランドには所詮かなわず、一九一九年七月東ウクライナに逃避し、やはりカミアネッツ・ポディリスキーに避難していたディレクトリア政府と合流した。こうして東ハーリチナをめぐる西ウクライナ国民共和国とポーランドとの戦いは終わった。

ディレクトリア政府と内乱

ウクライナ国家の第三でかつ最後の局面であるウクライナ国民共和国のディレクトリア政府は、中央ラーダ政府の後身である。しかしこの政府は中央ラーダよりも脆弱であった。政府自身がその組織を十分作れないでいたし、軍も頼りなかった。

それよりも一層深刻だったのは、ディレクトリア政府も西ウクライナ政府も敵対的な諸軍勢に囲まれ、それらがウクライナに侵入してきたことである。北や東からは赤軍（ボリシェヴィキ）、西からはポーランド軍、南東ドン川方面よりはデニキン将軍（一八七二～一九四七）率いる反革命の白軍（義勇軍）、南西ドニエストル川方面からはルーマニア軍、南部オデッサ方面では白軍を助けてボリシェヴィキを叩くために干渉してきたフランス軍などである。加うるに、国内ではネストル・マフノ（一八八九～一九三四）の率いるアナーキスト軍やその他のパルチザンの反乱が各地で起こった。こうして一九一九年および二〇年のウクライナは、諸軍入り乱れて、近代のヨーロッパ史においても例を見ないような無秩序な内乱状態に陥った。この二年間の各勢力の動きと相互の関係はきわめて錯綜しているので、わかりやすくするためそれぞれの勢力の消長を別個に見ていくこととしよう。

まずディレクトリア政府である。同政府のウクライナ国民共和国と西ウクライナ国民共和国は一九一九年一月合同することとなり、その式典がキエフで行われた。全体がウクライナ国民共和国となり、ペトリューラが率いるディレクトリアが主体となり、西ウクライナは同共和国の西部地方という位置づけになった。これは東西ウクライナが一本化するという何世紀にもわたる悲願が実現したという点では歴史的な意義はあったが、これは名目だけで、実際は別々の政府が並立していることには変わりなかった。合同の式典を行って数日も経たないうちに、ボリシェヴィキ軍にキエフを包囲されたディレクトリア政府はキエフを撤退し、約二〇〇キロ南西のヴィンニッツァに逃げた。ボリシェヴィキにとっては二度目のキエフ占領であった。なおキエフ生まれのロシア人作家ミハイル・ブルガーコフは、ヘトマン国家の末期からこのボリシェヴィキのキエフ奪回まで約二カ月間のキエフの様子を『白衛軍』（一九二五年）に描いている。同書を訳した中田甫・浅川彰三両氏によれば、キエフではこの革命期に一四回も主が替わり、ブルガーコフはそのうち一〇回を体験したという。

一九一九年七月にはペトリューラの率いるディレクトリア政府も西ウクライナ政府も、リヴィウ南西二〇〇キロのカミアネッツ・ポディリスキーで合流した。ウクライナ政府は東にボリシェヴィキ軍、西にポーランド軍に攻め立てられ苦境に立った。ところがそのときボリシェヴィキ軍はデニキンの白軍の攻勢によって崩れ出した。ペトリューラ軍はこれに勢いを得て、ボリシェヴィキを追撃し、同年八月末キエフに入城した。しかしほぼ同時にデニキン軍もキエフに入ったため、ペトリューラ軍は衝突を避けるためすぐさまキエフを退却した。

悲劇は同年一〇月起きた。チフスが大発生し、ウクライナ軍は兵員の七〇%を失い、事実上壊滅してしまった。軍医団長は、「わが軍はもはや軍隊ではない。病院でさえなく、さ迷える死体の倉庫だ」と報告している。これには協商国の経済封鎖で医薬品が乏しかったことも大きかった。一〇月末には戦闘可能なペトリューラ軍は二〇〇〇人に、西ウクライナ軍は四〇〇〇人にまで減少した。ペトリューラとディレクトリア政府はポーランドへ避難し、ペトルシェヴィッチ（一八六三〜一九四〇）ら西ウクライナの指導者はウィーンに亡命した。また西ウクライナ軍の多くはデニキンの白軍に入った。

次はデニキンの率いる白軍（白衛軍または義勇軍）である。デニキンはロシア人で、ニコライ二世の将軍であった。彼はドン地方を拠点としてツァーリの軍隊の残党とドン・コサックを集め、ロシア帝国の復活をめざした反革命軍を起こした。英仏らの協商国もこれを支援した。ペトリューラは共通の敵ボリシェヴィキと戦うためデニキンに共同戦線を張ることを呼びかけたが、「一つの不可分のロシア」を信ずるデニキンにとって、社会主義者でしかもウクライナ独立を標榜するペトリューラたちとの共闘は論外であった。またデニキンがディレクトリアを敵視したことが、デニキンを支援していた協商国がディレクトリアを支援しない理由のひとつでもあった。このデニキンのディレクトリア敵視政策は、いずれも反ボリシェヴィキを最大の目標としながら共闘を不可能にさせたという点で白軍、ウクライナ国民共和国、協商国のいずれにとっても不幸なことであった。結局は白軍もウクライナ軍もボリシェヴィキに各個撃破されてしまうのである。

デニキンの白軍は一九一九年の夏が最盛期で、ボリシェヴィキをほぼウクライナより駆逐し、一時はモスクワめがけて攻め上った。しかし後方の武器弾薬の補給地をマフノのパルチザンに奪われてから急速に力を失い、一九二〇年二月にはボリシェヴィキによってウクライナから駆逐された。デニキンの後継者でクリミア半島に拠っていたウランゲリ（一八七八～一九二八）も一一月、最終的にフルンゼ（一八八五～一九二五）率いるボリシェヴィキ軍により同半島から放逐され、ウクライナにおける白軍は消滅した。デニキン、ウランゲリはいずれもアメリカや西ヨーロッパに亡命した。なおショーロホフ（一九〇五～八四）の長編『静かなドン』（一九二八～四〇年）は白軍、赤軍がせめぎ合うこの時期のドン地方を舞台としている。またアレクセイ・トルストイ（一八八三～一九四五）は一時オデッサでデニキン軍の陣営に参加したことがあり、彼の代表作『苦悩の中を行く』（一九二二～四一年）では、デニキン軍、ドイツ軍、マフノ軍、ペトリューラ軍、赤軍と入り乱れたウクライナの内戦の模様が詳しく描かれている。

第三は協商国、とくにフランスである。協商国はボリシェヴィキ革命を阻止し、一つのロシアを復活させるためロシアに武力干渉した。日米がシベリアに出兵したのもその一環である。ウクライナではフランス軍が一九一八年一二月、六万の兵をオデッサ等に上陸させ、ドニエストル川からブーフ川までのウクライナ南西部を占領した。ペトリューラは協商国の支援を得ようとしたが、とくにフランスは「一つのロシア」に固執していたこともあり、これはならなかった。結局フランス軍はパルチザン軍に苦しめられ、目的を達しないまま一九一九年四月撤退した。その後にはボリシェヴィキが入った。

第四はポーランドである。一九一八年一一月、第一次世界大戦の終結とともにポーランドではピウスツキ（一八六七～一九三五）という断固たる信念をもった指導者が軍最高司令官および初代大統領に選ばれ、いち早く独立政府が確立された。ピウスツキは西ウクライナ国民共和国をハーリチナより駆逐した。また彼はかつての大ポーランドの信奉者で、ウクライナをドニエプル川までは併合したいと思い、ロシアの内戦につけ入ってヴォルイニ、ポディリアに攻め込んだ。

歴史的な経緯から西ウクライナ政府および軍が徹底的な反ポーランドであったのに対し、ペトリューラなど東ウクライナの者は、ボリシェヴィキこそが主たる敵であり、ポーランドとの連携には違和感がなかった。一九二〇年四月ポーランドに亡命していたペトリューラはポーランドと秘密協定を結んだ（ワルシャワ条約）。それは、ポーランドはペトリューラの政府がウクライナを代表するものとして承認し、ボリシェヴィキを駆逐するためペトリューラ政府に軍事援助をする、そしてお互いに勝手に第三国と和平を結ばない、最後にそれらの代償として東ハーリチナをポーランドに譲り渡すことを認めるとするものである。

同月、このワルシャワ協定の下に六万五〇〇〇のポーランド軍と一万五〇〇〇のウクライナ軍がウクライナに攻め上った。ソヴィエト・ポーランド戦争の始まりである。キエフは前述のとおり一九一九年八月末にデニキン軍が占領したが、その後一〇月ボリシェヴィキが一時奪い返したものの、同月中に再びデニキン軍が奪回し、さらに一二月ボリシェヴィキがあらためて奪還していた。一九二〇年五月ポーランド・ペトリューラ連合軍はボリシェヴィキからキエフを奪った。ペトリューラがキエフを奪還したのはこれが四度目であったし、ボリシェヴィキがキエフを放棄するのもこれが四度目であった。

しかしドイツと結んだヘトマン国家が民衆の支持を得られなかったように、ポーランド庇護下のペトリューラ政府も民衆の支持を得ることができなかった。六月からのボリシェヴィキの反撃にあうと、ポーランドもペトリューラを見放し、同月ボリシェヴィキは五度目で最後のキエフ奪還を果たした。ブジョンヌイ（一八八三～一九七三）の率いるボリシェヴィキ軍はポーランド軍を追って八月にはワルシャワ近くまで攻め入ったが、その後戦線は膠着し、一九二〇年一〇月ポーランドはソヴィエト・ロシアおよびソヴィエト・ウクライナ政府と和平を結んだ（リガ条約）。ポーランドはワルシャワ条約に違反してペトリューラを無視し、ソヴィエト・ウクライナ政府を承認したことになる。そしてこのときの軍事境界線が両国の国境線となり、東ハーリチナはポーランド領となった。ペトリューラは西欧に亡命を余儀なくされた。いずれにせよ、ここにウクライナ国民共和国は最期を迎え、ウクライナ独立闘争の第三にして最後の局面は幕を閉じる。なお前章でも触れたイサーク・バーベリは、ブジョンヌイの第一騎兵隊の従軍記者として参加した経験をもとにして『騎兵隊』（一九二六年）を書いたが、これはソ連時代の文学の傑作といわれている。またフルシチョフもブジョンヌイの第一騎兵軍団に属していた。

第五はパルチザンである。ウクライナには古くから農民の反乱の伝統がある。コサックもハイダマキも、そしてロシア帝国下の諸反乱も煎じ詰めれば農民の反乱であった。農民は土地が最大の関心事である。この革命の時代にも農民は自分たちを土地の持ち主にしてくれる政府を支持し、その期待を叶えてくれない政府には反対し、反乱を起こした。反乱を起こすと、コサック以来の伝統があるので、この地の農民は強い。反乱の指導者は、歴史上のコサックの首領にでもなった気分になる。農民反乱が盛んになったのはスコロパツキーのヘトマン国家が反動的な土地政策を取ってからであるが、そのときには一〇万人の農民が立ち上がった。そしてそれは当時としてはウクライナにおける最大の武力勢力であったが、統一がとれていなかった。またそれまで支持していたディレクトリア政府に問題解決の能力がないとみるや、その多くがボリシェヴィキに流れた。実際ボリシェヴィキ軍の中心を構成したのはこのような農民反乱から出てきたマフノやフリホリイエフ（一八八八〜一九一八）らの部隊であった。

その中でもマフノの黒軍はひときわ抜きん出ていた。ネストル・マフノは元徒刑囚で、アナーキズムの黒旗を立てて三万人の農民を糾合した。「マフノ親父」として農民から慕われたが、彼の騎馬隊は神出鬼没であった。彼はペトリューラをブルジョワ、デニキンを反革命、レーニンとトロツキーを新しい帝国主義者・圧制者として嫌った。しかし全体としてボリシェヴィキを助け、主にデニキンと戦った。前記のようにデニキンの没落のきっかけとなったデニキン軍の補給基地占領はマフノによるものだった。デニキン軍の瓦解後マフノはウクライナ南部、とくに黒海・アゾフ海沿岸、およびハルキフ、ポルタヴァの主となった。白軍、ペトリューラを倒したボリシェヴィキ軍は、残るマフノを潰しにかかった。黒軍は、ボリシェヴィキに協力した自分たちをボリシェヴィキが襲うことはないと信じてきたが、ボリシェヴィキは誰とも権力を分かち合う気はなかった。一九二一年八月ボリシェヴィキ軍は村に黒軍を包囲し、男女子供らを虐殺した。二〇万人が犠牲になったともいう。マフノは逃げ、パリに亡命してルノーの機械工となって余生を過ごした。

最後の勝利者ボリシェヴィキ

最後に来るのがボリシェヴィキである。ボリシェヴィキは一九一八年三月以来共産党と改称していたが、本章ではボリシェヴィキで通すこととしたい。なお同年同月ロシアの首都はモスクワに移転されていた。

さて、一九一九年八月デニキン軍やペトリューラ軍に敗れてウクライナをほとんど失ったボリシェヴィキは、これまでの大ロシア至上主義を反省し、ウクライナの民族的要素を加味するようになった。もちろんレーニンはウクライナに真の独立を与えるつもりは毛頭なかったが、ウクライナ人の心をつかむためにはある程度のウクライナ色は必要だとの戦術的転換を図ったのである。一九一九年一二月には「ウクライナ・ソヴィエト社会主義共和国」が設立され、ウクライナ人が高い地位につけられ、できるだけウクライナ語を使い、ウクライナ文化を尊重すべき旨の指示が出された。またロシアよりもウクライナにおいて抵抗の大きかった土地の集団化も中断した。

このような努力もあったが、何よりもロシア・ボリシェヴィキ政府のウクライナを制圧しようとの固い決意の下でボリシェヴィキ軍は膨張を続けた。一九一九年秋には一五〇万だった赤軍は、一九二〇年春には三五〇万近くになっていた。こうして一九一九年一二月にはその総力をあげてウクライナに攻め上った。そして一九二〇年秋にはペトリューラのウクライナ軍、デニキン・ウランゲリの白軍を壊滅させ、ポーランド軍を駆逐して和平を達成し、ここに主要な敵はなくなった。なおウクライナ人の作家ニコライ・オストロフスキー（一九〇四〜三六）の『鋼鉄はいかに鍛えられたか』（一九三二〜三四年）は、主人公がこのポーランドとの戦争の過程でボリシェヴィキの模範青年に成長していくさまを描いた長編である。それ自体感動的な物語でなくもないが、ソ連時代にはこの物語の主人公はソ連人の理想像として崇拝の対象にすらなった。

ただその後も反ボリシェヴィキのパルチザンは一〇〇の組織が四万人の規模で活動していた。とくにマフノの勢力は強大だったが、これも一九二一年八月には鎮圧された。キエフ地方ではディレクトリア系のチュチュニク（一八九一～一九二九）の一〇〇〇～二〇〇〇の勢力がポーランドにあるペトリューラの亡命政府と連絡しながらゲリラ活動を続けていたが、一九二一年末にはこれも鎮圧された。かくも激しく戦われたウクライナの内戦はこうしてボリシェヴィキの完全勝利のうちに終結した。ペトリューラは後にパリに亡命したが、一九二六年その地でソ連のエージェントにより暗殺された。

再考――独立運動が失敗したのはなぜか

ここで再び最初の疑問に戻ろう。ウクライナ人は中・東欧の他の民族よりも長く独立のために戦い、しかもこれまで見てきたようにかくも多くの犠牲を払いながらも結局独立が失敗したのはなぜであろうか。

ウクライナ系カナダ人の史家スブテルニーは次のような要因を挙げている。まず国内要因として、ツァーリ政府の下で民族主義が抑圧されていたことがある。ウクライナではロシアに比べインテリの比率は低く、そのインテリもロシア文化にどっぷりと浸かっていた。多くのインテリにとって社会改革か民族独立か迷うところとなった。したがって自治・独立の機会が訪れたとき、戦略もイデオロギーも十分でないまま政府作りにかからねばならなかった。実際中央ラーダを構成する政治家たちは大部分がまだ二〇代、三〇代の経験浅い者たちであった。また革命の主導権を握る都市住民にウクライナ人が少なく、都市住民はウクライナ独立に反感をもっていた。ボリシェヴィキを支持する工場労働者が一ヵ所に集中的に住んでいてオルグしやすいのに対し、独立を支持するはずの農民は散らばって住んでいたので組織化するのが難しかった。また農民は教育程度が低いままに抑えられていたので、独立とは何かよくわからなかった。

そして国内要因以上に決定的だったのは国外要因である。西ウクライナの民族運動は他の東欧同様強かったが、ポーランドの圧倒的な力に潰されてしまった。東ウクライナではそれが一層はなはだしい。ウクライナのボリシェヴィキというより、ロシアのボリシェヴィキの人的、物的な差に圧倒されてしまった。確かにレーニンらの優れた指導力はあったが、それはロシアの供給する膨大なヒト、モノ、カネの裏打ちがあってはじめて生きてくるのである。また協商国やアメリカは一般論として民族自決を標榜しながらも、ドイツと提携する中央ラーダやヘトマン国家に疑問を抱いたし、そもそもディレクトリア政府の左派的傾向を好まなかった。そしてこうした話をポーランドや白軍から吹き込まれて一層ウクライナ民族主義者への同情が薄くなり、結局ウクライナは見捨てられた。

私はこのスブテルニー教授の説に全面的に賛成だが、それに加えて以下の二点があると思う。その第一はリーダーの問題である。ロシアでも諸勢力が競い合った点は同じである。ロシアでは、ボリシェヴィキにはイデオロギー、規律ある党組織が大きな強みであったが、結局レーニンの戦略性、指導力が他の組織の指導者より傑出していたことが決定的であった。ポーランドでは鉄の意志をもったピウスツキがいたし、チェコ・スロヴァキアではマサリク（一八八六～一九四八）、ベネシュ（一八八四～一九四八）がいてアメリカの支持を取りつけた。しかるにウクライナではこの時期ついに第二のフメルニツキーを生み出さなかった。中央ラーダの初代大統領フルシェフスキーは優れた歴史家であったが修羅場には向かなかったようだ（現在の独立ウクライナでは彼の肖像は五〇フリヴニャ紙幣に印刷されている）。初代首相ヴィンニチェンコも小説家の才能をはるかに超えるようなものはなかった。ひとりペトリューラにはリーダーたる片鱗があったが、権力を握るのが遅すぎた。またマサリクやポーランドのピアニストで首相にもなったパデレフスキ（一八六〇～一九四一）のように、外国で自国への支持を取りつける大外交家をもたなか

新生ウクライナの国章となる，「三叉の鉾」.

ったのもウクライナにとり大きな痛手だった。

第二の点は、ウクライナ自身がもつ重要性である。ボリシェヴィキらの左派であれ、デニキンらの右派であれ、ウクライナを面積・人口の面からも、工業・農業の面からもそれなしではロシアはやっていけない不可欠の一部と考えており、いかなる犠牲を払ってもウクライナをロシアの枠内にとどめておくとの固い決意があったと思われる。その点がフィンランドやバルト地域とは違っていたのであろう。豊かな土地をもつことの悲劇である。

しかしこの独立は無意味だったのではない。確かに短期間に終わったが、ウクライナは紛れもなく独立していた。そしてその記憶はソ連時代にも連綿として生き続け、第二次世界大戦のときにも幾多の独立運動に結びつき、ついにはソ連の崩壊時に本格的な独立となって実を結んだ。その意味でかつて独立国家であったという思いは、現代のウクライナ人にとって大きな誇りと支えになっている。現在の独立ウクライナの国旗、国歌、国章はいずれも一九一八年中央ラーダが定めた青と黄の二色旗、ヴェルビツキー作曲の「ウクライナはいまだ死なず」(一八六五年)、ヴォロディーミル聖公の「三叉《さんさ》の鉾《ほこ》」であることからも、現代のウクライナ国家は自らを中央ラーダの正統な後継者であると認識しているのである。

第七章　ソ連の時代

四カ国に分かれたウクライナ

第一次世界大戦、革命、内戦と激動の七年間を経て、ウクライナはどう変わったか。大戦前には大部分がロシア帝国に、残りの小部分がオーストリア・ハンガリー帝国の支配下にあったが、新しい体制下では、ウクライナはソ連、ポーランド、ルーマニア、チェコ・スロヴァキアの四カ国に分割統治されることになった。これは、大戦後の体制を決定したパリ講和会議やそれを条約化したヴェルサイユ条約などが基本的には以下のような既成事実を追認したことによるものである。

ソ連（ボリシェヴィキ政府）とポーランドとの関係については、一九二〇年のリガ条約によりソ連・ポーランド戦争が終結したが、紆余曲折の末、その休戦ラインが連合国からも追認されることとなった。この結果、ポーランドは、その伝統的支配地である東ハーリチナの他、ロシア帝国領だった北西部の西ヴォルイニ、ポリシアなどのウクライナ人地域を自国領に組み入れた。ポーランドの軍事・外交面での勝利であった。

一九一九年のサンジェルマン条約により旧オーストリア・ハンガリー帝国の領域が定められ、その中のウクライナ人居住地域としては、ブコヴィナはルーマニアに、ザカルパチアは新しく独立したチェコ・スロヴァキアに与えられた。ルーマニアはすでにブコヴィナを占領していたので既成事実の追認であった。ザカルパチアは中世以来ハンガリーの支配下にあり、オーストリア・ハンガリー二重帝国になってからも、ハンガリーの支配に任されていた。ハンガリーが大戦の敗者となったため、ザカルパチアはハンガリーから取り上げられることとなった。後にチェコ・スロヴァキアの初代大統領となるマサリクがアメリカによい印象を与えたこともあり、この地域はチェコ人あるいはスロヴァキア人の居住地域ではないものの、同じスラヴ人ということでチェコ・スロヴァキアに編入されることとなった。

ソ連の中におけるウクライナの位置づけは次のようになった。すでに見たように、早くもボリシェヴィキは、中央ラーダに対抗して一九一七年一二月ハルキフで「ウクライナ・ソヴィエト共和国」を成立させていた。このウクライナ・ソヴィエト共和国は、ウクライナにおけるボリシェヴィキの勢力の消長とともに消えたり、また復活したりした。同共和国は、形

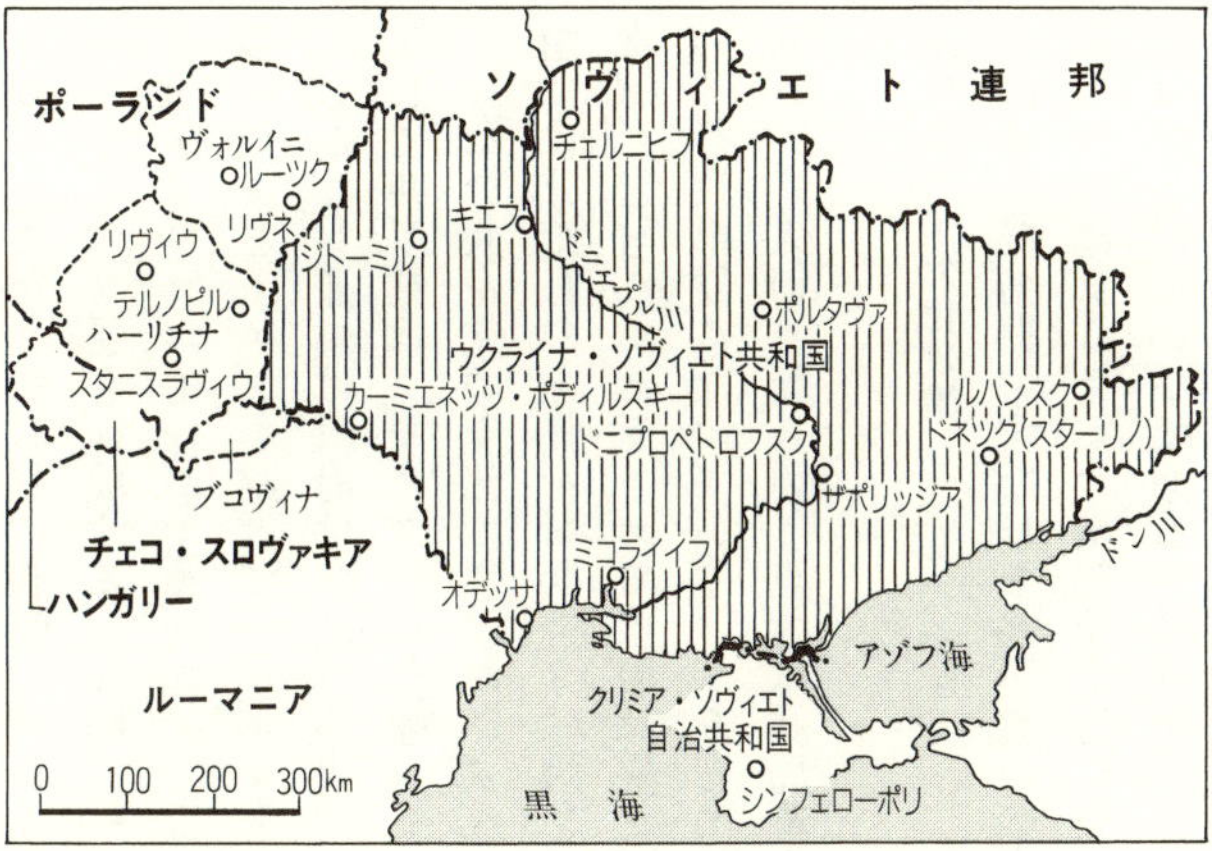

両大戦間のウクライナ・ソヴィエト社会主義共和国．現在はヴォルイニ，ハーリチナ，ブコヴィナ，クリミアなどもウクライナ領．

式上ロシア・ソヴィエト共和国とは独立した存在であった。したがって、前述のリガ条約でもウクライナ・ソヴィエト共和国はロシア・ソヴィエト共和国と並んで当事者の一つとなり、ポーランドから国家として承認されている。その後一九二〇年一二月ウクライナ・ソヴィエト共和国とロシア・ソヴィエト共和国との間で同盟条約が結ばれた。同条約では、軍事、経済、外国貿易、郵便等の統合が決められ、軍事・経済同盟が強化されたが、互いに独立しているとの前提であった。

そして一九二二年一二月「ソヴィエト社会主義共和国連邦」（以下「ソ連」）が成立する。ソ連はロシア連邦、ウクライナ、ベラルーシなど各ソヴィエト社会主義共和国が自由意志で結合して形成された多民族的な連邦国家ということになっており、制度上は各共和国の連邦からの脱退も認められていた。こうしてウクライナはソ連を構成する共和国の一つとしてその後約七〇年存続することになる。ウクライナ・ソヴィエト社会主義共和国（以下「ウクライナ共和国」）の首都は、民族主義の余熱の残っているキエフを避けてハルキフとなった（一九三四年に再びキエフが首都となった）。

しかしソ連では政府は共産党の決定を実施する機関でしかない。実権は共産党にあった。そして共産党は、モスクワが全権をもつ中央集権体制の下にあり、各共和国の共産党は実際上ロシア共産党の支部にすぎない。もっとも、初期の段階ではウクライナ共産党はかなり自由に自分たちの主張をモスクワに対して述べ、それを通していた。しかしスターリンの権力掌握とともにウクライナの自治は狭まっていき、ついにはモスクワに完全に統制され、ソ連の一行政単位になっていく。こうして見ると、ロシア帝国からソ連に名前は変わっても、同じロシア人の支配という点では結局革命の前も後もほとんど変わっていないのである。

ウクライナ化政策

内戦の終結期、すなわち共産党の権力確立期に起きたのが飢饉であった。これは一九二〇〜二一年にウクライナ南部を中心に発生した。ヨーロッパの穀倉ウクライナで飢饉が起きるとは信じがたい話である。南部のステップ地帯はウクライナでもとりわけ穀物生産の盛んな地帯であるが、ここ数年の内戦や共産党による農業の集団化などで生産はすっかり落ち込んでいた。共産党は現地の事情にお構いなしに強制的な食糧徴発を行い、食糧不足に悩むロシア本土へ送った。ここにもロシア共産党のロシア優先の考えがよく表れている。農民の味方であるはずの共産党に抗して貧農を含めた農民が反乱を起こしたのは、もらえるはずと思っていた土地が農業集団化で当てが外れたことに加えてこの過酷な徴発によるものであった。この飢饉では約一〇〇万人が死んだと推定されている。しかしそれでも一九三二〜三三年にスターリンの下で起きた大飢饉に比べればまだ被害は小さかったし、一〇年後と違いソ連政府も飢饉の存在を認めて救援活動を行った。

革命・内戦中、共産党は「戦時共産主義」と称して上述のような穀物の強制徴発を行ったり、土地の国有化、食糧・物資の配給などを行ったが、これはただでさえ内戦で弱まっていた経済を一層疲弊させた。また上記の飢饉の原因ともなった。戦時共産主義はきわめて不評で、ストライキや農民の反乱が頻発した。レーニンは戦術的後退を余儀なくされ、一九二一年「新経済政策」（ネップ）の下に社会主義政策を一時中断し、自由主義経済を復活させた。農民は所定の税を払った後は自由市場で好きな価格で収穫物を売ることができるようになったし、集団農場も中止され、すでに国有化されていた土地は貧農に分配された。産業面でも個人企業を復活させ、外資導入も図った。このネップ政策は大成功し、ウクライナの耕地面積も農業生産性もまたたく間に回復した。また消費主導型の産業も大戦前の水準を超えた。ただ民営化されなかった重工業のみが落ち込んだままであった。そしてこのネップ政策によって共産党は以前より農民に受け入れられるようになった。

前章でも触れたが、革命・内戦期にボリシェヴィキ・共産党はウクライナでは人気がなかった。共産党の支持基盤は都市の非ウクライナ人、すなわちロシア人やユダヤ人のインテリや労働者であった。彼らはウクライナ民族主義を嫌い、ロシアとの統合を求めた。他方、ウクライナで多数を占めるウクライナ人は農村に住んでいた。ウクライナ農民はロシア農民よりも個人主義的で、土地に対する執着が強いといわれている。したがって共産党の標榜する土地の国有化や集団農場にはむしろ反対した。またウクライナの言語、文化の伝統は農村に依拠していたし、それゆえに農村はウクライナの民族主義の母体となっていた。

共産党は、ウクライナでの権力獲得がウクライナ人の支持を得てなされたものではなく、都市住民の支持とロシア赤軍の武力に依ったものであることをよく知っていたので、共産党の支配を定着させるために一般ウクライナ人を取り込む必要を感じた。先ほどのネップもその一環であったが、次に述べる「ウクライナ化」政策もそのためのものであった。

一九二三年ソ連全体に「土着化」の政策が採用され、各共和国の民族、文化に応じた施策が慫慂《しょうよう》されることになった。これはまさにウクライナを狙った政策でもあった。これまでウクライナ共産党といってもその幹部はモスクワから送られるロシア人か、または在地のユダヤ人であったが、彼らはウクライナ文化に関心がなかった。そこにウクライナ人が登用されるようになった。一九二二年政府職員の三五%、共産党員の二三%がウクライナ人であったが、一九二六〜二七年にはそれぞれ五四%、五二%に上昇した。もっともウクライナ人は概して低いポストにあまんじた。

ウクライナ語の使用も奨励された。政府職員でウクライナ語ができないものはウクライナ語コースを履修し、一年以内に習得しないものは解雇されるとされた。政府文書・刊行物はウクライナ語によることとされ、一九二二年その二〇%がウクライナ語であったものが一九二七年には七〇%に上昇した。また党の仕事もウクライナ語で行うこととなった。

教育の面ではその効果は著しかった。ツァーリの時代と違ってソ連は教育に熱心であり、識字率の向上は目覚ましかった。そしてそれは学校教育のウクライナ語化をともなっていた。一九二九年には一般教育の八〇%、大学の三〇%がウクライナ語のみで行われた。新聞や書物のウクライナ語化も進められ、一九二二年には全出版物中ウクライナ語のものの占める割合は二七%であったが、一九二七年には五〇%以上になった。文化の面ではウクライナ文化・文学が一斉に花咲き、「文化ルネサンス」といわれている。このウクライナ化に誘われ、外国に亡命していた学者・文化人も帰国した。歴史学者で中央ラーダ大統領だったフルシェフスキーも帰国し、アカデミーの正式会員となり、ウクライナ史の研究に取りかかった。

宗教の面でもウクライナ化が見られた。ウクライナの正教徒はかねてからモスクワからの独立を求めていたが、一九二〇年「ウクライナ独立正教会」が設立され、一九二一年にはキエフおよび全ウクライナの府主教が任命された。同教会は儀式に教会スラヴ語ではなくウクライナ語を使った。同教会は急速に勢力を伸ばし、一九二四年には信徒数百万を数えるに至ったが、従来のロシア正教を凌駕するまでには至らなかった。もっとも、ソヴィエト政府は当初同教会を容認していたが次第に規制を強め、一九三〇年には解散を命じた。

スターリンの権力掌握

このウクライナ化は一九三〇年代前半まで続いたが、すでに一九二〇年代の後半から締めつけも同時進行していた。原則には頑固だが戦術には柔軟だったレーニンが一九二四年に五三歳で死亡し、一九二七年にトロツキー(一八七九～一九四〇)、ジノヴィエフ(一八八三～一九三六)らのライヴァルを追放してスターリン(一八七九～一九五三)が権力を掌握したのが転換点であった。ちなみにロシア革命にレーニンに次ぐ大きな足跡を残したトロツキーとジノヴィエフはいずれもウクライナ生まれのユダヤ人だった。スターリンは自身グルジア人ながら、ロシア中心の中央集権主義者で、かねてから民族の自治拡大に反対であった。また彼は農民を信じておらず、農民は革命の担い手というより克服すべき対象と考えていた。彼は、農民の国で民族主義の強いウクライナにとりわけ猜疑心を抱いていたようである。さらにスターリンは、外国の脅威からソ連を守ることを至上命令とする「一国社会主義」の立場から、いかなる犠牲を払っても近代化、工業化した社会主義国を早急に作り上げなければならないと考えていた。その手段が数次にわたる五ヵ年計画であり、農業集団化であった。

第一次五ヵ年計画（一九二八〜三二年）ではウクライナは重点地域であった。ウクライナは全ソ連の投資の二〇％を受けた。全ソ連で一四〇〇の新工場ができたうちで四〇〇がウクライナに作られた。そしてそのいくつかは巨大であった。ドニエプル川のダムと水力発電所はヨーロッパ最大のものであった。またザポリッジアの製鉄工場やハルキフのトラクター工場はヨーロッパ最大規模のものであった。ドンバスからドニプロペトロフスク（カテリノスラフが改名）を経てクリヴィーリフに至る地域はソ連最大のコンビナートとなった。生産力躍進のためのスタハノフ運動のモデルとなったスタハノフ（一九〇六〜七七）はドネツ炭田の切り出し工であった。彼はノルマの一四倍の石炭を切り出したという。

この工業化の結果のひとつが、ウクライナ人の都市への移住である。革命前の工業化のときには主にロシア人・ユダヤ人が労働者として連れてこられ、彼らが都市住民となった。今回は、ロシアも労働力不足で余裕がなく農村のウクライナ人が工場労働者として使われ、都市に住みついたのである。一九二六年ウクライナの都市人口の比率は全体の五分の一であったが、第二次世界大戦直前には三分の一にまで上昇した。また都市におけるウクライナ人の比率も一九二六年には六%であったものが、一九三九年には三〇%にまでなった。

農業集団化と大飢饉

すでに述べたようにスターリンは農民をむしろ社会主義に対する抵抗勢力と考えていた節があり、彼らをスターリンの考える社会主義体制に組み込むには手荒な手段を使うのもやむをえないと考えていた。すなわち政治的には、個人主義的で独立意識の強い農民を上意下達の組織の中に封じ込めることが必要であった。また経済的には、国是である早急な工業化のため安い食糧を農村から調達して工場労働者に与える必要があったし、また機械輸入に必要な外貨を稼ぐため穀物を輸出する必要があった。そしてこの手段が、一九二八年に始まり一九二九年から強制的になった「農業集団化」であった。

農業の集団化とは、これまで自分の土地を耕して自活していた農民を国営農場(ウクライナ語ラドホスプ、ロシア語ソフホーズ)または集団農場(ウクライナ語コルホスプ、ロシア語コルホーズ)に入れてその一員とすることである。いわば農民を土地から切り離し、農業の労働者かプロレタリアートに変えてしまうことである。農民は抵抗した。たとえば集団農場入りを余儀なくされると農民はその前に自分の家畜を屠殺して食用にするなり売るなりした。こうして一九二八〜三二年の間にウクライナは家畜の半分を失った。しかし、党・政府はあらゆる手を使って集団化を進めた。抵抗する者は逮捕され、シベリア送りになった。また自活農が成り立たないよう高率な税を課したり、種々の嫌がらせをした。さらに「クラーク」と呼ばれた比較的豊かな農民は、農民の中のブルジョワであり、農民階級ひいては人民の敵であるとして土地を没収されたり、収容所送りや処刑されるなど徹底的な弾圧を受けた。

ウクライナでは、この集団化は一九三〇〜三一年に急速に進行した。その結果、ウクライナでは一九二八年には三・四%の農家が集団化されていたのみであったが、一九三五年には九一・三%が集団化されていた。

大飢饉に苦しむ人々.

集団化はスターリンとその党の支配の永続化には寄与したかもしれないが、ウクライナにとっては惨憺たる結果をもたらした。それが一九三二〜三三年の大飢饉である。

一九三〇年ウクライナの穀物生産は二一〇〇万トンと比較的良好であり、政府による調達量は七六〇万トンであった。この調達量はすでに一九二〇年代の二倍であった。一九三一年は不作であり、対前年比六五％の一四〇〇万トンであったが、調達量は変わらなかった。一九三二年の生産も一四〇〇万トンで、前年同様の不作であった。この収穫減は集団化による混乱が主たる原因であった。またウクライナは全ソ連の穀物の二七％を収穫したが政府調達ノルマは全ソ連の三八％に上ったとしている文献もある。

農民はこの調達に抵抗した。しかしモスクワの党・政府は強引に調達を進めた。党の活動家は農家から穀物を押収する法的権利を得た。党活動家の一団が都市からやって来て農家の一戸一戸を回り、床を壊すなどして穀物を探した。飢えていない者は食物を隠していると思われた。食物を隠している者は社会主義財産の窃盗として死刑とする法律が制定された。

こうして飢饉は一九三三年春にそのピークを迎えた。飢饉はソ連の中ではウクライナと北カフカスで起きた。都市住民ではなく食糧を生産する農民が飢え、穀物生産の少ないロシア中心部ではなく穀倉のウクライナに飢饉が起きたということはまことに異常な事態である。農民はパンがなく、ねずみ、木の皮、葉まで食べた。人肉食いの話も多く伝わっている。村全体が死に絶えたところもあった。フルシチョフ（一八九四～一九七一）はその回想録の中で、一本の列車が飢え死にした人々の死体を満杯にしてキエフ駅に入ったが、それはポルタヴァからキエフまでずっと死体を拾い上げてきたからだとの話を紹介している。

この飢饉でどれだけ餓死者が出たかは、ソ連政府が隠していたためよくわからない。ある学者は三〇〇万〜六〇〇万人の間と推計している。独立後のウクライナの公式見解を盛り込み、クチマ大統領（一九三八〜）の巻頭言も載っている『ウクライナについての全て』（一九九八年）では、この飢饉によりウクライナ共和国では三五〇万人が餓死し、出生率の低下を含めた人口の減少は五〇〇万人におよび、その他北カフカス在住のウクライナ人約一〇〇万人が死んだとしている。北カフカス出身で少なくとも母方がウクライナ系であるゴルバチョフ（一九三一〜）は、自分の村でもこの飢饉で三分の一が死んだと語ったという。

この飢饉の特徴は何であろうか。第一に、これは強制的な集団化や穀物調達のために起こった人為的な飢饉であり、必然性はなかったということだ。その意味でこれはユダヤ人に対するホロコーストにも匹敵するジェノサイドだという学者もいる。第二に、ロシア本体がこの飢饉をほとんど経験しなかったことである。これはスターリンがウクライナの民族主義を弱めるために意図的にやったことだという説を生んだ。その証拠として、スターリンの「民族問題とは農民問題のことである」という発言や、一九三〇年の『プラウダ』紙の「ウクライナにおける集団化はウクライナ民族主義（個人所有の農家の農業）の基盤を破壊するという特別な任務をもつ」という所説が挙げられている。第三に、この飢饉はソ連ではできるだけ隠されていたことである。公式には存在しないことになっていた。それに影響されて西側の歴史書でもつい最近までこの飢饉に言及していなかった。一九八六年に至ってさえ、ソ連官製のウクライナ史は「恐るべき食糧問題があった」とのみ述べて飢饉の事実にはまったく触れていない。当時ソ連は対外的に弱みを見せたくなかったのであろう。外国からの救援の申し出も断っているが、このことが被害を一層大きくしたことは疑いない。それよりも、この時期にもソ連は平然と穀物を輸出し続けていたのである。

スターリンの粛清

スターリンの権力掌握でウクライナの自治に制限が始まり、ウクライナ人が農業集団化、穀物調達に抵抗したことでその流れは一層強まった。一九二〇年代に活躍したインテリ・文化人に対する攻撃が始まった。一九三一年にはフルシェフスキーのアカデミー歴史部門も閉鎖された。彼はロシアに追放され、一九三四年カフカスで寂しく死んだ。

一九三二年頃からは共産党員に対する粛清が始まった。ソ連全体の大粛清は一九三六〜三八年に起きたのであるから、ウクライナに限ってはその数年前から始まっていたことになる。これは集団化、穀物調達に対するウクライナの抵抗の強さを見て狙い撃ちされたのであろう。またスターリンは一九三三年の飢饉の責任をウクライナ共産党員になすりつけた。彼はウクライナ共産党員に対する公然たる批判を許した。一九三三年には教育のウクライナ化を促進した古参ボリシェヴィキでウクライナ共和国の教育コミサール（閣僚）であったスクリプニク（一八七二～一九三三）が自殺に追い込まれた。その他ウクライナ化を推進した有力な党員たちが自殺し、流刑となり、あるいはいずこともなく消えた。一九三三～三四年にウクライナ共産党は一〇万人の党員を失ったという。

一九三〇年代中期には民族楽器コブザやバンドゥーラを弾く盲目の吟遊詩人たちが大量に殺害された模様である。コブザ弾きは民族の叙事詩をコブザに合わせて吟唱するが、当局はそれが民族主義的であると敵対視した。彼らへの弾圧が語り始められたのはウクライナの独立後である。それによると一九三〇年代の中頃ハルキフでコブザ弾きの大会が開かれ、その後彼らはハルキフから連れ出されて郊外の谷間に送られ、そこで殺されたらしい。数百人が殺されたともいう。しかしまだ文献上の証拠は見つかっていない。ただ一九九七年ハルキフ市は迫害されたコブザ弾きを顕彰する碑を建てた。

一九三〇年代前半の粛清の対象は主にウクライナ人だったが、一九三六～三八年になると粛清の対象はウクライナ人を含む全ソ連人に及んだ。ウクライナ政府の一七人の閣僚が逮捕された後処刑された。リュブチェンコ首相（一八九七～一九三七）は自殺した。ウクライナ共産党員の三七％にあたる一七万人が粛清された。こうしてウクライナの共産党は壊滅状態になった。一九三〇年代末には各共和国の自治はほとんどまったく死滅していた。スターリンは彼の子分を送って各共和国を治めた。ウクライナには一九三八年スターリンお気に入りのフルシチョフがウクライナ共産党第一書記として送られてきた。

ソ連全体の教育、文化は一律化、ロシア化された。ウクライナでもロシア語の教育が必須となった。ウクライナ語のアルファベット、語彙、文法がロシア語に近づけられた。ウクライナ人もプーシキン、トルストイ、ドストエフスキーなどのロシア語作家の文学を読むよう奨励された。新聞・雑誌においてもウクライナ語が減った。こうして一九二〇年代にかくも花咲いたウクライナ文化はこの時期にはすっかり死に絶えた。

ポーランド下の西ウクライナ

一度でも独立の経験をした民族を他民族が治めるのは容易ではない。東ハーリチナのウクライナ人はごく短期間ながら西ウクライナ国民共和国という独立国をもった。大戦後のヨーロッパの秩序を決定した連合国も、無条件で東ハーリチナをポーランドに与えることにはさすがに躊躇があり、その条件としてウクライナ人の自治とその民族的権利を尊重することをポーランドに約束させた。ポーランドは一応立憲民主主義国で、ソ連に比べればはるかにましであったが、それでもウクライナ人に対する自治の約束を守ったとはいえない。ポーランド政府は一方では東ウクライナの亡命政府を支援しながらも、他方では自国内のウクライナ人の民族自決を認めようとはしなかった。またウクライナ人とポーランド人の間には何世紀にもわたる反目の歴史があり、ウクライナ人はポーランドの支配をとりわけ嫌った（ポーランドの全人口二七〇〇万人のうちウクライナ人は約五〇〇万人だった）。

ポーランド政府とウクライナ人の間では共存の道を歩もうとする動きもいろいろあり、ウクライナ人がポーランド議会の副議長になったこともあったが、全体として成功しなかった。合法的な手段をとるウクライナ人政党も究極的には独立を求めていた。

しかしより顕著な動きは非合法の武装闘争であった。一九二〇年プラハで亡命ウクライナ人により「ウクライナ軍事組織」（UVO）が結成された。まもなく同組織の長にはシーチ射撃隊の精鋭を引き連れてきたエフヴェン・コノヴァレッツ大佐（一八九一～一九三八）が就任した。コノヴァレッツはハーリチナ人でリヴィウ大学在学中から民族主義者として頭角を現した。第一次世界大戦ではオーストリア軍に参加したが、ロシアの捕虜となった。一九一七年釈放となってからは中央ラーダでペトリューラとともにシーチ射撃隊を組織し、ポーランド、デニキン、ボリシェヴィキと戦った。内戦終了後ハーリチナに戻ってきたのである。彼は優れたオーガナイザーであり老練な政治家であった。UVOの目的は、地下組織で政治テロやサボタージュを行うことによりポーランド政府を動揺させ、西ウクライナの独立を獲得しようとするものであった。失敗に終わったが、ピウスツキ大統領の暗殺も試みた。

同組織は一九二九年学生諸組織と一緒になってウィーンで新しい「ウクライナ民族主義者

組織」（ＯＵＮ）を作り、単に破壊活動だけでなく、より広い宣伝・啓蒙活動もするようになった。そしてコノヴァレッツが引き続きリーダーとなった。ＯＵＮは若者の支持を得、第二次世界大戦直前には二万人のメンバーがいたとされる。ＯＵＮは一九三〇年代を通じて暗殺、政府施設の破壊等の武力闘争を行った。ポーランド内相、リヴィウ警察署長、在リヴィウ・ソ連領事らがＯＵＮにより暗殺された。しかし一九三八年コノヴァレッツはロッテルダムでソ連のエージェントにより暗殺された。後継としてはシーチ射撃隊以来のヴェテランの支持を受けたアンドリー・メルニク（一八九〇～一九六四）と若手の支持を得たステパン・バンデラ（一九〇九～五九）が鋭く対立し、ＯＵＮは二派に分かれた。両派はお互いに武力闘争をするまでになった。このような状況の下、ポーランドからの独立をめざす闘争は曙光を見ないうちに第二次世界大戦に突入した。

日本軍部とウクライナ独立派との接触

第五章で多くのウクライナ人がロシア極東地方に移住したと述べたが、第一次世界大戦後日本とウクライナ独立派との接触が旧満州（中国東北部）で見られた。以下は、ウクライナ史の研究家ジュコフスキーの書いた記述をもとにしたものであり、目下これ以上の肉づけはできないでいるが、ウクライナ独立派と日本軍との間で接触があったとは興味をそそられる話である。

一九一八年、日本在住のウクライナ人B・ヴォブリーはウクライナ国民政府の公認の産業代表となった。同年日本がシベリア出兵をした際、多くのウクライナ人が日本軍の支配下に入った。ソ連軍が戻ってきたとき、二〇〇人のウクライナ人がソ連側によって逮捕され、分離主義者および日本への協力者として裁判にかけられた。

その後も多くのウクライナ人がソ連の支配を嫌って旧満州、とくにハルビンに逃れた。そこでウクライナ人と日本軍は緊密な連絡をとった。日本軍は中国側に接収されたウクライナ人クラブの建物を取り返してくれたし、ウクライナ語新聞の発刊を許し、ウクライナ人社会の諸団体が活動するのを許した。日本側の連絡将校K・ホリエはウクライナ人のためしばしば骨を折った。また一九二〇年代末〜三〇年代にウクライナ国民共和国の亡命者がヨーロッパで日本政府関係者と接触した。ワルシャワではサルスキー将軍が在ポーランド日本大使館付武官のヤナギタ大佐（柳田元三。関東軍参謀、ハルビン特務機関長、関東軍情報部長を歴任）に極東・シベリアのウクライナ人の状況について説明し、同大佐が新京（当時の満州国首都、現在の長春）に転任になると、満州国のウクライナ人が当局と折衝する際にウクライナ人を援助した。

一九三〇年代ウクライナ民族主義者組織（OUN）は日本側と政治、軍事上の接触をした。

日本側は極東における反ソヴィエト活動が高まることに関心があったからである。一九三四年OUNの数人の者がヨーロッパから東京を経由してハルビンに赴き、同地の活動を活発化させ、ソ連極東での秘密政治活動に従事した。OUNのマルキフらはハルビンで「ウクライナ極東シーチ」青年組織を作った。しかし一九三七年から日本当局は、ロシア人の亡命ファシスト組織を支持するようになり、ウクライナ人組織との協力を中止した。第二次世界大戦中に協力を復活させようとする試みがあったが、結局うまくいかなかった。ソ連の対日宣戦後、旧満州に在住のウクライナ人の一部は上海や日本経由でアメリカやカナダに亡命した。

第二次世界大戦

一九三八年九月のミュンヘン会談でドイツがチェコ領ズデーテンを併合することが認められ、残りのチェコ・スロヴァキアは連邦国家となった。こうしてチェコ・スロヴァキア内でウクライナ人が居住するザカルパチアは自治を認められることとなった。同自治州は「カルパト・ウクライナ」と改名された。カルパト・ウクライナではウクライナ語が政府、学校での使用言語となった。また「カルパチア・シーチ」と呼ばれる独自の軍隊もできた。しかしこの自治州は長続きしなかった。一九三九年三月一五日ドイツ軍はプラハに侵入し、チェコ・スロヴァキアが消滅した。ヒトラーはカルパト・ウクライナを同盟国のハンガリーに与えた。ハンガリーに併合されることが明白となったカルパト・ウクライナでは、同一五日フスト市で議会が独立宣言を行った。数時間後カルパト・ウクライナはハンガリーに占領された。カルパト・ウクライナの自治は数カ月、独立は数時間であった。同地域はその後五年半ハンガリーの支配下に入る。そしてこれが、第二次世界大戦でウクライナがこうむる激動の最初の動きであった。

一九三九年八月二三日に独ソ不可侵条約（モロトフ・リッベントロップ協定）が結ばれ、その秘密協定で独ソ両国はポーランドを解体して折半することを決めた。九月一日ドイツはポーランドに侵入した。同三日英仏両国はこれに対抗してドイツに宣戦し、ここに第二次世界大戦が勃発した。ドイツ軍の電撃作戦によりポーランドは三週間で崩壊した。ソ連は九月一七日より国境を越え、ポーランド東半分を占領した。一一月ウクライナ人の居住する東ハーリチナ、西ヴォルイニ、西ポリシアは形式上の住民投票を経てウクライナ・ソヴィエト社会主義共和国に編入された。ソ連はこれを「再統合」と称した。

一九四〇年六月ソ連はさらにルーマニア領の北ブコヴィナ、ベッサラビアを併合した。そのうちウクライナ人居住の北ブコヴィナ、南ベッサラビアはウクライナ・ソヴィエト社会主義共和国に編入されたが、ルーマニア人居住の北ベッサラビアはウクライナから切り離され、「モルダヴィア・ソヴィエト社会主義共和国」となった。なお同共和国は現在の独立モルドヴァ共和国に引き継がれている。

一九四一年六月二二日ドイツは独ソ不可侵条約を破り、ソ連を奇襲した。ここに以後四年間にわたって史上もっとも多くの犠牲を出したといわれる独ソ戦争が始まる。戦争準備の十分整ったドイツ軍はバルバロッサ作戦の下に破竹の勢いで進撃した。逆に準備不十分のソ連は、ドイツ軍の攻勢になす術もなく後退し、四ヵ月後の同年一一月には全ウクライナはドイツの占領下に入った。ソ連は当初不意を突かれて混乱をきたした。ソ連は西ウクライナから退却する過程で刑務所にいた受刑者一万～四万人を罪の軽重に関係なく殺戮したとされている。しかしまもなくスターリンはこの地の伝統である撤退・焦土作戦を採用し、東ウクライナの住民約三八〇万人（一〇〇〇万人との説もある）と八五〇の工場の設備をウラル以遠に避難させた。ウラル山麓の都市ウファはウクライナ・ソヴィエト共和国政府の戦時の首都になった。またウクライナからもち運べない工場施設、鉄道、水力発電所等は現地で破壊された。ドネツの大部分の炭坑は水浸しにされた。この史上最大の退却作戦はその後のソ連の戦争継続能力の維持に大きな貢献をすることになった。

ドイツは東部戦線において食糧と労働力の供給源としてウクライナを重視した。ドイツがソ連占領地域から徴発した食糧の八五％はウクライナからのものであった。またドイツは「オストアルバイター」（東方労働者）と称してソ連占領地域から人々をドイツに強制連行して過酷な労働を強いた。ドイツの警察は、ウクライナの市場や教会、映画館などで偶々《たまたま》そこに居合わせた若者を手当たり次第掻き集めてドイツに送った。全体で二八〇万人といわれる旧ソ連領からのオストアルバイターのうち二三〇万人はウクライナからの労働者であった。

ナチス・ドイツはウクライナ人に対しても容赦しなかったが、ユダヤ人に対する措置は徹底していた。ユダヤ人狩りは組織的に行われ、強制収容所に送られた上、大多数が殺された。強制収容所行きを待たずに殺される例も多かった。そのもっとも顕著な例がバービ・ヤールの事件である。一九四一年九月、ユダヤ人三万四〇〇〇人がキエフ郊外の谷間バービ・ヤールに集められ、射殺された上、穴に埋められた。同事件は戦後フルシチョフの時代に問題となり、とくにイルクーツク生まれでウクライナ人四世の詩人エフゲニー・イェフトシェンコ（一九三三〜）の詩『バービ・ヤール』（一九六一年）で知られるようになった。同地は今でもユダヤ人殉難の地として知られている。こうしてナチス・ドイツはウクライナで八五万〜九〇万人のユダヤ人を殺したと推定されている。

西ウクライナでは当初ドイツ軍は歓迎された。とくにOUNはじめ民族主義者らは、これがウクライナの独立と統一に結びつくものと期待した。当初ドイツ側は、対ソ戦争の道具のひとつとして利用するとの観点からウクライナ民族主義者に若干の宥和的な態度を見せたが、次第に弾圧の方向に向かった。OUNのバンデラ派のヤロスラフ・ステツコ（一九一二〜八六）を中心としてドイツ軍の中にウクライナ民族主義者部隊が作られたが、一九四一年六月三〇日彼らはドイツの了解もないままリヴィウでウクライナの独立宣言をした。数日後バンデラとステツコはゲシュタポに逮捕され、ドイツの強制収容所に入れられ、戦争が終わるまで出られなかった（メルニクも同様に戦争期間を通じて同じ強制収容所に入れられていた）。民族主義者たちは地下に潜った。

ウクライナ人による対独パルチザン活動はドイツのウクライナ侵入後まもなく始まっている。ステップ地帯は広々として見晴らしがよいのでパルチザン活動には向かない。したがって北西部ヴォルイニの森林地帯、北部ポリシアの沼沢地帯および南西部カルパチアの山岳地帯がその活動拠点になった。そしてOUNの伝統をもつ西ウクライナの者が主力となった。一九四一年夏にはタラス・ブルバ・ボロヴェツ（一九〇八～八一）により「ウクライナ蜂起軍」（UPA）がヴォルイニに組織された。これはペトリューラの流れを汲むウクライナ国民共和国の亡命政府と連携していた。またOUNのバンデラ派、メルニク派もそれぞれUPAを作った。そして一九四三年にはバンデラ派の下にそれぞれのUPAが結集した。ロマン・シュヘーヴィチ将軍（通称タラス・チュプリンカ、一九〇七～五〇）が司令官となった。UPAは外国の援助を得ることはほとんどできなかったが、住民の支持を得て力を伸ばし、一九四三年には四万の勢力を有するまでになった。ある説によれば、一九四四年の最盛時には一〇万の兵士を有していたという。UPAはドイツともまたソ連とも戦った。ソ連は、ドイツ占領地域での攪乱《かくらん》と来たるべきソ連軍の帰還を準備するため赤軍パルチザンを組織していたが、UPAはこのソ連パルチザンとも激しく戦った。第二次世界大戦の勝者となったソ連は、戦後この赤軍パルチザンの活動を誇張して宣伝し、UPAなどウクライナ民族主義者のパルチザン活動を無視するか、あるいはナチの手先だとした。

いずれにせよ第一次世界大戦の際ウクライナ民族主義者政府が一度に多数の敵と戦わねばならず結局崩壊したのと同じように、今回においてもウクライナ民族主義者は複数かつ強力な敵を相手とせざるをえず、きわめて不利な立場であったことは否めない。

独ソ戦の転換点は一九四三年一月のスターリングラード攻防戦であった。同年夏反撃に出たドイツ軍をクルスクの大会戦で破ったソ連軍は以後一気に失地を回復していった。ソ連軍はコーネフ（一八九七～一九七三）、ヴァトゥーティン（一九〇一～四四）、マリノフスキー（一八八九～一九五七）らに率いられてウクライナに攻め入った。同年一一月ヴァトゥーティンはキエフを回復した。一九四四年七月、ソ連軍は西ウクライナのブローディで六万のドイツ軍を全滅させた。ドイツ軍の中にはウクライナ人から成る一万のハーリチナ師団が含まれていた。その中の二〇〇〇人は逃れおおせ、その多くはUPAに参加した。同年九月ソ連軍はカルパチア山脈を越え、一〇月には全ウクライナを占領した。

スターリンはウクライナでの戦闘にウクライナ人を参加させ、戦後の支配をたやすくするため、ウクライナ・ナショナリズムをくすぐる政策をとった。南方前線は「ウクライナ前線」と改名され、フメリニツキー勲章が新たに制定された。詩人ソシューラの愛国的作品『ウクライナを愛せよ』はスターリン賞を受けた。ただUPAはソ連に対しパルチザン型戦争を戦い続けた。ヴァトゥーティン将軍はUPAに襲われ、その傷がもとで死亡した。ソ連はベルリン陥落後UPA掃討のため全力をあげたが、その戦いはしばらく続くことになる。

ヤルタ会談

ここで、ウクライナの地でなされた決定がウクライナのみならずその後の日本の運命をも左右するほどのものであったので、それを紹介したい。史上もっとも重要な会談ともいわれるヤルタ会談は、一九四五年二月クリミア半島のヤルタにあるロマノフ王家のリヴァディア離宮で行われた。この頃には戦争の大勢は見えており、第二次世界大戦後の枠組みを決定するため、ルーズヴェルト（一八八二〜一九四五）、チャーチル（一八七四〜一九六五）、スターリンの三首脳がヤルタで会談したのである。なぜヤルタが選ばれたのか。それは、スターリンが自ら対独戦争について多くの決断をなさねばならず、ソ連領を離れられないと英米首脳に申し入れたからである。季節は冬であったため、病身のルーズヴェルトのことも考慮して暖かいクリミア半島、しかもソ連第一の保養地であるヤルタが選ばれた。こうしてヤルタの名は戦後そして現在に至るまで世界の諸国、とりわけ日本人を呪縛する地名となった。またチャーチルは、黒海の彼方へ戦争の勝利と世界平和を樹立する壮途につく自分とルーズヴェルトのヤルタ行きを、ギリシア神話のアルゴー号黒海遠征（第一章参照）になぞらえて「アルゴー号乗組員の旅」と呼んだ。

リヴァディア離宮は、一八六〇年代ロシアの皇帝アレクサンドル二世がマリア皇后の健康のために建てたのが始まりである。皇后はクリミアの風光とタタール人など地元の住民の風習にすっかり魅せられた。海に迫る山腹に建てられた離宮は、サンクト・ペテルブルグの豪華な宮殿群とはまったく違い、小ぶりであり、白亜で清楚な趣である。ベランダからは海が一八〇度の広がりで水平線の彼方まで眺められる。宮殿を取り囲んで松や糸杉など地中海性の樹木が生い茂っている。白い宮殿と緑の庭と青い海が三位一体となったまことに素晴らしいところである。

ヤルタ会談の開かれたリヴァディア宮殿.

以来歴代の皇帝一家、すなわちアレクサンドル三世夫妻もニコライ二世夫妻およびその子供たちもリヴァディアを愛し、毎年訪れた。とくにニコライ二世は家庭的な人物で、ヤルタにおける静かな生活が気に入っていたようだ。彼はクリミアの街道を車でドライブしたり、ヨットに乗ったりして楽しんだ。一九一七年の二月革命で退位を余儀なくされたとき、ニコライ二世は臨時政府に私人としてこのリヴァディア離宮に住むことの許可を求めたという。しかしケレンスキーはこれを拒絶した。これに関連して、ヤルタ会談の際スターリンはアメリカ代表団にこんなことをいったという。

ニコライ二世は、退位する日、リバディアの庭園に隠退する許しを求めたらしいのですが、ご存知ですか。……しかし人びとはツアーが庭師になるために革命をするわけじゃありません。

（コント著『ヤルタ会談＝世界の分割』）

またヤルタは王族だけでなく、上流階級の社交場、芸術家の溜まり場ともなっていた。チェーホフ（一八六〇〜一九〇四）やゴーリキー（一八八六〜一九三六）もヤルタに住んだ。チェーホフはそこで『桜の園』『三人姉妹』『子犬を連れた奥さん』などの作品を書いた。彼の住んでいた家は現在博物館になっている。

さてヤルタ会談では、リヴァディア宮がルーズヴェルトの宿舎となるとともに会議場となった。それはルーズヴェルトが病身で車椅子の身であったためである。同様の理由から彼の寝室、書斎も一階におかれた。チャーチルの宿舎はヴォロンツォフ宮殿であるが、これを建てた人物は一九世紀初頭オデッサでプーシキンの上司であった新ロシア総督ヴォロンツォフ伯爵である。彼の父は駐英大使をしていたので英国建築にも関心があり、宮殿の北面は純英国風になっている。そのためにチャーチルの宿舎になったのであろう。スターリンの宿舎はユスポフ宮殿である。同宮はラスプーチンを暗殺したユスポフ公の所有であった。

ヤルタ会談では多岐の問題が話し合われたが、ここではウクライナ、日本に直接関係するポーランドの国境画定、国連、ソ連の対日参戦の三つについて触れる。ポーランドの国境画定はヤルタで大議論を引き起こした問題だった。しかし結局ソ連は、一九三九年ポーランドを解体して独ソで分割して得た領土をおおむね獲得した。これによりリヴィウを含む東ハーリチナはソ連領と決まった。その議論の過程で、ルーズヴェルトはアメリカ国内のポーランド人の批判をなだめるためにリヴィウをポーランド領に残すよう求めたが、スターリンは譲らなかった。東の領土を大きく削られたポーランドは、その代償を西で得ることとなった。すなわち、ポーランドはオーデル・ナイセ川以東のドイツ領を与えられることになった。

国連問題では、大きな対立点だった安全保障理事会の拒否権問題がソ連の全面的な譲歩によって決着した後、ソ連側はウクライナとベラルーシの国連加盟の問題をもち出した。スターリンはルーズヴェルトに、自分はウクライナで困難な状況に直面しており、ウクライナに与えられる一票がソ連統一維持のために重要だと述べた。最初反対していたルーズヴェルトも結局これを認めた。それは拒否権問題でソ連が譲歩したこと、英連邦自治領の国連加盟を図るためにチャーチルが賛成に回ったこと、そして米英ソの協調を維持するためには本質的でない問題で譲歩しても構わないと判断したことなどの理由による。こうしてウクライナとベラルーシはソ連と並んで国連の原加盟国になった。

ソ連の対日参戦については、ルーズヴェルトがスターリンに対日参戦を強く求めた。スターリンはその対価を要求した。スターリンは、対独戦はドイツが攻めてきたから説明がつくが、日本は表だった敵対行動をとっていないので参戦することを最高会議と人民に説明するには正当化しうる対価が必要だとして南樺太、千島列島を要求した。ルーズヴェルトはそれを承認した。このドイツ降伏から二、三カ月後にソ連が参戦するとのこの約束は秘密にされた。それは、日本側に漏れると、ヨーロッパ戦線のソ連部隊を極東に移動する前に日本がソ連を攻撃する恐れがあったからである。この対日参戦問題は、チャーチルを除外してルーズヴェルトとスターリンの間でリヴァディア宮殿内のルーズヴェルトの書斎で行われた。「ソ連の対日参戦に関する合意」も同書斎で署名された。

日本人抑留者

第二次世界大戦後、ソ連には約六〇万の日本人（軍人のほか文民も含む）が抑留された。大部分はシベリア、極東での抑留であったが、なかには日本からはるか八〇〇〇キロも離れたウクライナまで移送された者もあった。これは日本人抑留者の移送先としては最西端だった。

一九九一年四月のゴルバチョフ・ソ連大統領の訪日時に日ソ間で「捕虜収容所に収容されていた者に関する日ソ協定」が締結され、これにもとづき同年ソ連政府より三一地域、七二カ所の埋葬地に関する資料および三万八六四七名の死亡者名簿が日本側に提供された。このうち二一一名がウクライナで死亡したことが同名簿により確認されている。また埋葬地については、ハルキフ、ドニプロペトロフスク、ドネツク、ザポリッジア州など一一カ所に存在していたことが判明している。

しかし当時の収容所、墓地のほとんどすべては戦後壊され、住宅、工場、学校などが建てられている。そして現在ではアルテミフスク（ロシア語名アルチョモフスク）やドルジキフカ（ロシア語名ドルジコフカ）など墓地の近辺に合同慰霊碑が建てられている。ただ捕虜となったドイツ軍兵士および戦争で犠牲になったウクライナ市民も同じ場所に埋葬されることが多かったため、合同慰霊碑に日本人抑留者が含まれていると記されているわけではない。このように日本人抑留者埋葬地の特定ができないため、遺骨収集事業は行われていない。

当時の抑留者により結成された「秋乙会」（秋乙とは当時士官学校のあった平壌《ピョンヤン》近郊の地名の由）の会員が一九九七年六月に墓参のためウクライナを訪問した際、在キエフの日本大使館の館員に語ったところによれば、おおよそ次のような状況であった由。すなわち、一九四六年に約四〇〇〇名がシベリア鉄道経由でウクライナに移送された。抑留者は最初ドンバスの町アルテミフスクに入り、そこからドニプロペトロフスク、クレメンチューク、ザポリッジア、ロハン（ハルキフ近郊）、イジューム、クラマトルスク、スロヴィアンスク、ドルジキフカ等の地域に分けられ、ドイツ人抑留者とともに、採石場（ハルキフ・ドネック間の道路用の砂利を採取）、粘土運搬、町工場、溶鉱炉建設（ドニプロペトロフスク）などの作業に就いた。日本人が作ったハルキフ・アルテミフスク間の道路は「日本道路」と呼ばれていた。またこれら抑留者は一九四七年八月から一一月にかけて帰国した。

以上とは別に、京都大学の仏文学教授だった後藤敏雄氏もウクライナ抑留者の一人で、『シベリア、ウクライナ私の捕虜記』（一九八五年）という記録を残している。その抑留生活についての記述は前述の秋乙会会員の話と一致しているが、過酷な毎日の中でも、監督する立場のロシア人、それに使われるウクライナ人、同じ捕虜仲間のドイツ人などとの間でいろいろな軋轢《あつれき》や人間的な交流があったことが描かれている。ウクライナ独立運動については次のような箇所がある。

広いソ連の中でも、ウクライナ人は底抜けに明るく楽天的な人種なのだということは、何度となく聞かされていた。

……

ウクライナはソ連邦の中でも、思想的に最も危険な所で（もちろんソ連流に言っての話だ）、古来何度も独立運動の燃え上がろうとした所なのだ。独ソ戦の最中にも、この機会にウクライナが独立できるかもしれないという願望から、ドイツ側について戦った軍団もあったのだ。ドイツ人に対する屈折した感情は、この辺にも原因があるかもしれなかった。村井（筆者注・抑留者の一人）の監督は特に猛烈なスターリン反対者だったが、だれも入れぬよう事務室に鍵を掛けて、村井にウクライナ独立運動を説いたという。

戦後処理

一九四五年五月ドイツ軍が降伏してヨーロッパにおける第二次世界大戦は終結した。ウクライナの人口の約六分の一にあたる五三〇万人が死亡した。二三〇万人がドイツでの強制労働を強いられた。ソ連軍の中にはウクライナ人二〇〇万人が含まれていたし、ドイツ軍の中にも三〇万人のウクライナ人が含まれており、同一民族が互いに敵味方になって戦ったことは前大戦と同じであった。経済的な被害も甚大であった。独ソ両軍が取ったり取られたりする間、退却する側はいずれも焦土作戦をとって都市や工場を破壊していった。キエフの中心部の八五％が破壊され、ハルキフは七〇％が破壊された。前述の『ウクライナについての全て』では、ウクライナはこの大戦で全ソ連の物質的損害の四〇％をこうむり、これはロシア、ドイツ、フランス、ポーランドそれぞれの物質的損害より大きいとしている。

多くの民族主義者の自己犠牲的な活動があったにもかかわらず、今回も独立は実現しなかった。しかし膨大な人命と財産の損失の代償としてウクライナの領域は拡大した。ポーランドから東ハーリチナ、ルーマニアから北ブコヴィナと南ベッサラビア、ハンガリーからザカルパチアを獲得した。とくにザカルパチアは、ロシア帝国、ソ連を通じてはじめて支配下に入った。これによりウクライナは一六・五万平方キロメートルの領土と一一〇〇万の人口を新たに獲得して、五八万平方キロメートル、四一〇〇万人を擁するソヴィエト共和国となった。皮肉なことに、独立はならなかったが、大戦前それぞれ四カ国の支配下にあったウクライナ人居住地域はほとんどすべてソ連の下のウクライナ共和国にまとめられた。そしてこれはキエフ・ルーシの崩壊以来史上はじめてのことであった。

国境線の変更にともなって生ずる問題は、従来の領域に残された民族が少数民族化することである。少数民族問題が第二次世界大戦の引き金となったことを教訓として、少数民族を作らないよう民族分布を新国境に合わせることとなり、東ヨーロッパ各地で民族の交換が行われた。ウクライナとポーランドとの間でも、かつてのウクライナ共和国に住んでいたポーランド人一三〇万人がポーランドに、旧ポーランド領内のウクライナ人五〇万人がウクライナにそれぞれ移住した。

また戦争捕虜や、強制労働のためドイツに送られていたオストアルバイターの本国送還も行われた。彼らを本国に送還することはヤルタ会談においてすでに決められていた。そしてそれは捕虜となった軍人だけでなく文民も含まれること、また帰国希望のあるなしにかかわらずソ連国籍があれば送還されることが了解されていた。英米側は、これらソ連人の多くが帰国後の迫害を恐れて帰国を望んでおらず、人道上の問題が生じうることを知っていたが、ソ連政府の本国送還の要求は強く、当時戦争は継続中でソ連との協調が依然として必要だったためソ連に譲歩した。かくて一九四五年末までに二〇〇万人のウクライナ人が帰国した。強制的に帰国させられた者も多かった。帰国してソ連官憲の手に渡ることを拒否して輸送中の船から海に飛び込む者も多数いた由である。そして心配されたとおり、帰国後、万単位の者が処刑され、三五万人が政治的危険分子として中央アジアや極東地方に送られた。遅きに失したが、一九四七年連合国はソ連のこのやり方を知ると本国送還を中止した。二五万人ほどが西欧諸国に残り、そしてその大部分は数年後にアメリカ、カナダへ移った。

UPAのパルチザン活動

第二次世界大戦終結後も西ウクライナにおいてUPAによる反ソ・パルチザン活動は続いた。ソ連軍がベルリンに攻め入った頃、西ウクライナのかなりの部分はUPAが掌握していた。このUPAの大規模な活動は、住民の支持とソ連軍の不在によるものだった。

ソ連はドイツ降伏後、UPAの撲滅に全力をあげた。一九四五〜四六年にソ連はヴォルイニからカルパチア北麓にかけて掃討作戦を行った。ソ連軍はUPAの家族、ときには村全体をシベリアに流刑にした。一九四五〜四九年の間に五〇万人の西ウクライナ人が北方へ強制移住させられた。なかにはUPAの評判を落とすためにソ連の保安部隊がUPAの擬装をして村を襲ったこともあったという。

こうしてUPAは活動の縮小を余儀なくされていった。他にUPAにとって痛かったのは農業集団化であった。個人農家と違い、厳しく管理された集団農場からは食糧を取りづらかったためである。またUPAの戦略は、ドイツ降伏後は西側とソ連の争いが始まり、そうなればソ連は崩壊するので、それにあわせてあらかじめ独立の素地を作っていくというものであった。しかし一九四七年、四八年になっても米ソ戦争はありそうにもないことがわかり、多くの者がＵＰＡを離れていった。

それでもＵＰＡは一九五〇年はじめ頃まではかなりの規模で活動していた。しかし同年三月司令官のシュヘーヴィチ将軍が戦死して以来実質的にＵＰＡの活動は終わった。ただその後も散発的なゲリラ活動はかなり後まで続いた模様で、それは一九五六年二月にヴォルイニの新聞『赤旗』にＵＰＡに対する投降勧告が載ったことからも推測される。また西ドイツで独立運動を続けていたステパン・バンデラは一九五九年ソ連のＫＧＢによって暗殺された。いずれにせよソ連のような統制のとれた国の中で、しかも隣国がすべてソ連の衛星国という環境で、そしてさらに外部からの援助がほとんどなかった状況下でこれだけ長くパルチザン活動が続けられたということは驚異的なことである。あらためて西ウクライナにおける民族主義の根強さに感慨を覚えざるをえない。

ＵＰＡの活動は国境を越えてポーランド領内でも行われていた。一九四七年には待ち伏せでポーランドの国防次官を殺した。これに怒ったポーランド政府は「ヴィスワ作戦」の下に軍民双方の掃討戦を行った。軍事面では、三万のポーランド軍がＵＰＡ軍を包囲して殲滅させた。生き残った約四〇〇名は戦いながらチェコ・スロヴァキアを通り抜け、オーストリアを経由して、最後にはドイツの米国占領地帯までたどり着くという稀有な行動を見せた。民生の面では、カルパチア山麓レムコ地域のウクライナ人一四万は、ポーランドがドイツから取得した西部地方に強制移住させられた。団結しないよう一ヵ所に数家族しか住まわせないようにしたという。こうしてポーランド領域にはまとまったウクライナ人居住地はなくなった。

なお、ユニエイトはロシア帝国やソ連では早くから禁止されていたが、オーストリアやポーランド支配下の西ウクライナでは存続を許されており、同地域のウクライナ人のアイデンティティーの拠りどころともなっていた。西ウクライナがソ連領下に入るにあたり、ソ連政府は、西側と結びつきがあり民族主義的なユニエイトは危険だと考え、一九四六年これを禁止し、モスクワのロシア正教会に併合させた。ユニエイトは表面上消滅したが、多くの聖職者はロシア正教の名の下で秘密にユニエイトの教義を実践し続けた。そしてそれは一九八〇年代後半に活発化した民族主義運動の原動力の一つとなった。

フルシチョフ時代

一九五三年三月スターリンが死に、権力闘争の後フルシチョフが勝ち残った。フルシチョフは非スターリン化の名の下に全ソ連的に統制をゆるめ、民族文化活動を自由にした。スターリンがウクライナに過酷だったのに対し、フルシチョフは好意的だった。フルシチョフはウクライナ人ではなかったが、若い頃はドンバスで金属工として働き、共産党官僚になってからも長くウクライナで過ごした。彼はスターリンの忠実な部下で、一九三八年の大粛清のときにはウクライナ共産党第一書記（在任一九三八～四九、ただし四七年三～一二月はラザール・カガノヴィチ〈一八九三～一九九一〉が第一書記）として辣腕を振るった。戦時中は赤軍パルチザンの組織作りにかかわり、戦後は経済の復興と西ウクライナのソ連への統合、とくにUPA対策を指揮した。他方ウクライナの民族衣装を着たり、ウクライナの歌を好むなど、ウクライナ人の間でも人気を得た。

ソ連のトップの座をめぐる闘争でフルシチョフを最初に支持した党はウクライナ共産党だった。彼はウクライナ共産党第一書記にはじめてウクライナ人（オレクシー・キリチェンコ、一九〇八～七五）を任命した。以後このポストは例外なくウクライナ人が占めることとなる。ウクライナ共和国の最高会議議長も首相もウクライナ人になった。クレムリンでもウクライナ人の地位は上がった。一時期全部で一一人のソ連共産党政治局員の中で、オレクシー・キリチェンコ、ミコラ・ピドホルニー（ロシア語名ニコライ・ポドゴルニー）、ドミトロ・ポリャンスキー（後の駐日大使、在任一九七六～八二）、ペトロ・シェレスト（一九〇八～九六）とウクライナ人四人が占めたことさえあった。軍人でもウクライナ人のロディオン・マリノフスキー（一八九八～一九六七）、アンドリー・グレチコ（一九〇三～七六）、キリロ・モスカレンコは元帥に昇進し、前二者は国防相にまでなった。

フルシチョフのもう一つの贈り物はクリミアの移管である。一九五四年、フメリニツキーがロシアの宗主権を認めたペレヤスラフ協定の締結三〇〇周年記念の際に、これまでロシアの一部だったクリミアが「ウクライナに対するロシア人民の偉大な兄弟愛と信頼のさらなる証し」としてウクライナ共和国に移管された。これは対ウクライナ懐柔政策であったが、他方ロシア人が人口の七〇%を占めるクリミアをウクライナに帰属させることによってウクライナの中でロシアの比率を高める意図もあったとされている。いずれにせよ当時はウクライナが将来独立することなど毛頭考えられていなかったので、行政上の措置程度の軽い気持ちでなされた決定であっただろう。後に、ロシア人はあれほど愛したヤルタの保養地も、ロシア軍の歴史とともにあったセヴァストーポリも失うことになるのである。

ブレジネフ時代

一九六四年フルシチョフは失脚した。その後を継いだのはレオニード・ブレジネフ(一九〇六〜八二)であった。彼はウクライナ東部の都市ドニプロジェルジンスクに生まれた。ロシア人であったが、戦前は出世のために自分はウクライナ人であると書類に書いていた。冶金技師としてまた党官僚としてソ連工業の中心地のひとつドニプロペトロフスクで活動し、頭角を現した。自分の仲間や部下を登用したため、その取り巻きは「ドニプロペトロフスク・マフィア」と呼ばれた。

ブレジネフの時代はよくいえば安定、悪くいえば停滞の時代であった。民族主義文化を危険視して抑圧し、現れ始めた反体制派たちにも厳しく当たった。ただウクライナでは、ブレジネフ時代初期にウクライナ共産党第一書記であったペトロ・シェレスト（在任一九六三〜七二）は民族主義文化を称揚する政策をとった。シェレストはウクライナ語の使用にも熱心で、彼の著書『我らがソヴィエトのウクライナよ』（一九七〇年）ではウクライナの自治を直接、間接に強調し、コサックの進歩性、ツァーリの搾取について述べている。しかし、彼はウクライナ・ナショナリズムに甘く経済ローカリズムを助長した廉《かど》で一九七二年失脚した。

後任のヴォロディーミル・シチェルビツキー（在任一九七二〜八九）はブレジネフの忠実な子分で、ウクライナ民族文化にはまったく関心を示さなかった。ブレジネフ、シチェルビツキーの下のウクライナでは、ロシア語の使用が奨励され、ウクライナ語の使用は妨害された。学校でのロシア語の使用が増えたし、職業上の観点からもロシア語が圧倒的に有利だった。また出版物でも、面白いものはロシア語で、つまらないものはウクライナ語で出版された。それでウクライナ語の本の読者が減ると、当局はウクライナ語の読者が減ったといってその出版物の発行を止めることもした。当局はウクライナ語に対する劣等意識を植えつけようとしたし、ウクライナ語を使うインテリは反体制運動家と疑われた。その結果一九六九～八〇年にウクライナ語の新聞の割合は四六％から一九％に減ったし、一九五八～八〇年にウクライナ語で出版された本は六〇％から二四％まで落ちた。

経済の状況はフルシチョフ時代にはまだアメリカを追い越すことを目標とするような意気軒昂なところがあったが、それでも経済成長率は徐々に下がり始め、ブレジネフ時代には誰もが認めるような停滞に陥った。第五次五カ年計画（一九五一～五五年）の間のウクライナ工業の年間成長率は一三・五％であったが、三〇年後の第一一次五カ年計画（一九八一～八五年）のときには三・五％に落ちていた。工業化と都市化のため深刻なエネルギー不足が起こり、一九五〇年代から七〇年代にかけドニエプル川に巨大なダムが次々と建設され、ドニエプル川は連続した人造湖のようになってしまった。それでも電力は足らず、一九七〇年代にチェルノブイリなど数カ所に原子力発電所が建設された。

ウクライナではいまや工業が主要産業となったが、ウクライナがソ連の穀倉であることに変わりはなかった。ただウクライナを含めソ連の農業全体が停滞していた。ブレジネフ時代の後期にはソ連の穀物輸入が常態化するほどにまでなった。これには官僚統制による不効率、利潤動機・競争がないための勤労意欲の減退などがその原因となっていた。そのことは、利潤動機のある住宅付属の自営菜園がきわめて生産性が高かったことからも逆に証明される。

すなわち一九七〇年、ウクライナで全農地の数パーセントにすぎない自営菜園が農家収入の三六％を生んでいるのである。

フルシチョフ・ブレジネフ時代を通じてウクライナの社会構造は大きく変わった。工業化により都市化が一層促進された。都市人口は五五％となり、もはや都市は非ウクライナ人だけの住むところではなくなった。他方ロシア人のウクライナへの流入はますます加速された。一九二六年には三〇〇万人だったウクライナのロシア人は一九七九年には一〇〇〇万人となり、人口の二〇％を超えた。今までロシア人のほとんど住んでいなかった西ウクライナにロシア人が入ってきた。ロシア人は非ロシア人地域では割のいいポストにありつけるし、ウクライナは気候も良く、文化状況も似ているので喜んでウクライナに住みたがった。ただ何世代も住んだロシア人にはウクライナ化する者も増えてきた。

ブレジネフの時代に強まってきたのは反体制派（ディシデント）の動きである。一九七五年七月、欧米三五カ国がヘルシンキに集まってヨーロッパ安全保障協力会議（CSCE）が開かれ、現存の国境尊重、信頼醸成措置、人権擁護等を約束したヘルシンキ宣言に署名した。ソ連政府は国境の尊重などの安全保障問題にメリットを見出してこの宣言に参加した。人権擁護条項はお題目にすぎず、ごまかせるとたかを括っていた。しかし予想に反してこの人権擁護条項こそがソ連体制を内部から突き崩す大きな原動力になった。翌年にはモスクワの反体制運動家たちにより「ヘルシンキ条約履行監視グループ」が生まれた。同年キエフでもウクライナのヘルシンキ・グループが作家ミコラ・ルデンコ、ペトロ・フリホレンコ将軍（ロシア語名グリゴレンコ）、法律家レフコ・ルキアネンコ、ジャーナリストのヴィアチェスラフ・チョルノヴィルらによって結成された。この団体は、従来の秘密主義的なものと違ってオープンな市民団体を志向し、ソ連の他のグループとも連携して問題の国際化をめざした。しかし西側の大使館や報道機関を通じて主張を全世界に訴えうるモスクワの運動と違い、キエフの運動には世界の目が届きにくかった。彼らは大部分が逮捕されてしまった。

第八章　三五〇年間待った独立

ゴルバチョフ下でのグラスノスチ

一九八五年ソ連共産党の書記長に就任したゴルバチョフ（一九三一〜）は、抜本的な改革を行えば、共産党の支配するソ連というシステムは存続しうると信じていた。そしてグラスノスチ（情報公開、ウクライナ語ではフラスニスティ）とペレストロイカ（再建、ウクライナ語ではペレブドーヴァ）を両輪とする政策を開始した。しかしともに進むべきはずであった二つの政策はグラスノスチのみが先行し、ペレストロイカは既得権益の抵抗にあって遅々として進まなかった。グラスノスチは、ゴルバチョフの意図に反して、国民の働くインセンティヴには向かわず、むしろ批判するインセンティヴとなり、また何よりも危険なことに民族主義に火をつけた。スターリン、フルシチョフ、ブレジネフら歴代の指導者は細心の注意をもって各地の民族主義をコントロールし、それによって帝国としてのソ連の維持してきたが、グラスノスチにより民族主義抑圧のたがが外れ、ソ連の解体を招くことになった。

ウクライナでソ連体制に対する不信が最初に高まったのは、チェルノブイリ（ウクライナ語チョルノビリ）原子力発電所の爆発事故によってであった。一九八六年四月二六日、キエフ北方約一〇〇キロにあるチェルノブイリ原発第四号炉が爆発した。一九二トンの核燃料のうち四％が大気中に放出され、広島型原爆五〇〇発分の放射能が広がった。事故それ自体も史上空前であったが、事態を一層悪くしたのは、ソ連の隠蔽体質であった。ゴルバチョフの政権獲得から一年あまり、グラスノスチもまだ浸透していない時期だったこともあり、事故は二八日まで伏せられた。そのためもっと早く公表されて必要な措置がとられていれば助かったであろう多くの命が失われ、何万という人々がいまだに後遺症に悩むことになった。またこの事故は他の環境問題にもウクライナ人の注意を向けた。ソ連はこれまで生産至上主義で、環境問題にはほとんど無関心であった。問題が起こったとしても隠すのみであった。ウクライナはソ連第一の重化学工業地帯と誇っていても、気がつけば工場・鉱山の排出する汚染物質は垂れ流しで、ウクライナ南部、東部はソ連有数の汚染地帯となり、住民の健康問題が深刻になっていた。

グラスノスチが浸透してくると、これまで抑えられてきた不満が吹き出てきた。長い間タブーであった歴史の「空白」を明らかにしようとする動きも出てきた。一九三二〜三三年の大飢饉が公けに議論され、一九三〇〜四〇年代に保安警察によって虐殺された人々の大規模な墓場が発見された。第四章で触れたマゼッパの行動は裏切りではなく、ロシアから分離しようとする試みであるとの論文も現れた。そしてこれまで批判の対象だった第一次世界大戦時の「ウクライナ国民共和国」も正当な民族の渇望の現れと解釈されるようになった。またコストマーロフ、フルシェフスキー、ヴィンニチェンコなど過去の人物の名誉も回復された。

チェルノブイリ原子力発電所.

ウクライナ語復権の動きも高まり、一九八九年には「ウクライナ言語法」ができ、ウクライナ語が国語となった。また長い間禁止されてきた青と黄のウクライナ民族国旗が現れ、人々はウクライナ国歌「ウクライナはいまだ死なず」を歌い、ヴォロディーミル聖公の三叉の鉾《ほこ》の章を胸につけるようになった。

禁止されていたユニエイト教徒もヴァティカンやアメリカの後押しもあり、一九八七年より公然と活動するようになった。一九八九年ゴルバチョフがヴァティカンを訪問したのを機に、ソ連はようやくユニエイト教会を合法化した。またスターリンにより一九三〇年以来禁止されていた「ウクライナ独立正教会」も合法化された。ウクライナのロシア正教会も一九九〇年以来自治を与えられていたが、一九九一年モスクワから完全に独立して「ウクライナ正教会」となった。こうしてウクライナには、ユニエイト、ウクライナ独立正教会、ウクライナ正教会、ロシア正教会（ウクライナ在住のロシア人が信徒）が並存することとなった。

このような状況下で、一九八九年九月、民族主義を長く抑圧してきたシチェルビツキーがウクライナ共産党第一書記の地位を解任され、ヴォロディーミル・イヴァシコに替わった。イヴァシコはまもなくモスクワの党中央に呼ばれ、スタニスラフ・フレンコが第一書記となった。シチェルビツキーの失脚は、ウクライナにおける変化を加速することになった。

シチェルビツキー失脚の直後（一九八九年九月）、「ペレストロイカのためのウクライナ国民運動」（「運動」というう意味のウクライナ語「ルーフ」の略称で一般に呼ばれる）が結成された。これは人権・少数民族の権利・宗教の保護、ウクライナ語の復権を求めるゆるやかな組織で、独立までは求めず、ソ連が主権国家の連合体となることを要求していた。ルーフは詩人イヴァン・ドラチ（一九三六〜）が議長となり、ミハイロ・ホリン、ヴォロディーミル・ヤヴォリフスキーらのインテリや反体制運動家が幹部となった。ルーフは三〇万人近くの市民に支持され、独立に至るまでの民間の運動をリードすることとなる。ルーフは新しい政治手法として公開の集会を盛んに開催した。集会には数万、ときには二〇万の人々が参加した。その最大規模のものは、一九九〇年一月に三〇万人（あるいは五〇万人ともいう）を動員してリヴィウとキエフをつないだ「人間の鎖」であった。

独立達成

一九九〇年三月ウクライナ・ソヴィエト共和国の議会である「最高会議」（ヴェルホヴナ・ラーダ）の選挙が行われた。これまでにルーフは急進化し、ウクライナの独立を主張するようになっていた。選挙では、依然として共産党が議席のほぼ三分の二を占めたが、親ルーフの候補者は種々の選挙妨害にもかかわらず約四分の一の議席を獲得した。この選挙ではじめて反対党が現れたのである。選挙では、反体制運動家であったルキアネンコ、チョルノヴィル、ホリンらが当選した。この頃には共産党の権威が落ち、一〇万単位で党員が離脱するようになった。ウクライナの政治は、すべてを牛耳ってきた共産党に代わり、これまで飾りものにすぎなかった最高会議が引っ張っていくことになる。

同年六月、ソ連からの独立傾向を強めてきたロシア連邦は主権宣言を行った。これに引き続いてウクライナの最高会議も同年七月一六日主権宣言を行った。ただこの時点ではウクライナが連邦から離れることまでは想定されていなかった。また同月二三日、レオニード・クラフチューク（一九三四〜）が最高会議の議長に就任した。クラフチュークはヴォルイニ州出身の共産党官僚で、議長就任まではイデオロギー担当のウクライナ共産党第二書記であった。彼は、議長就任後は時の流れを敏感に感じ、ウクライナの主権確保に大きな役割を果たす。そして一年半後には独立ウクライナの初代大統領になる。

ソ連では離散傾向にある各共和国を何とか連邦の枠内にとどめようとゴルバチョフが必死の努力を試みていた。しかし同年三月リトアニアは独立してソ連から離脱するとの宣言を発し、ソ連の解体傾向に弾みをつけることになった。それでもゴルバチョフ大統領（一九九〇年三月以来大統領）は一九九〇年一一月新しい連邦条約の草案を発表し、翌一九九一年三月その賛否を問う国民投票を全ソ連で行った。ウクライナでは、ゴルバチョフ提案の連邦維持に七〇%が賛成したが、他方ウクライナのみで用意された「主権国家ウクライナが主権国家連邦に加わるとの前年最高会議の決議に賛成か」との質問には八〇%が賛成した。

独立達成を決定的にしたのはクーデター事件であった。一九九一年八月一九日、モスクワの保守派は非常事態を宣言し、クリミアのフォロスの大統領別荘で休暇をとっていたゴルバチョフを拘禁して権力委譲を迫った。同日クーデター側はキエフに使者を送り、クラフチュークにクーデター支持を要請した。彼は非常事態はウクライナでは適用されないと答えたが、クーデターには支持も不支持も表明しなかった。クーデターはロシア最高会議議長エリツィン（一九三一～）の勇敢な抵抗であっけなく失敗した。主導権はゴルバチョフからエリツィンに移った。そして誰の目にもソ連はもたないことが明らかとなった。

クーデター失敗の勢いもあり、八月二四日ウクライナ最高会議はほとんど全会一致で独立宣言を採択した。後にこの日は独立記念日となる。国名は単純に「ウクライナ」となった。また最高会議は共産党をクーデターに加担した廉で禁止した。クラフチュークは共産党を離党した。九月には最高会議は民族主義の伝統にもとづく国旗、国歌、国章を法制化した。国旗は上が大空を表す青、下が大地（麦畑）を表す黄の二色旗、国歌は一八六五年ヴェルビツキー作曲の「ウクライナはいまだ死なず」、国章はヴォロディーミル聖公の国章であった「三叉の鉾」である。いずれも中央ラーダ政府が制定したものの復活であった。またソ連を構成していた多くの共和国がウクライナにならって独立宣言をした。

一二月一日、ウクライナの完全独立の是非を問う国民投票と初代の大統領を決める選挙が行われた。国民投票では九〇・二％が独立に賛成した。ロシア人の多いハルキフ、ドネツク、ザポリッジア、ドニプロペトロフスクの各州でも八〇％以上が賛成であった。ロシア人が過半数を占めるクリミアでも賛成は五四％と過半数を上回った。大統領選挙ではクラフチュークが六二％の得票率でルーフの候補であるチョルノヴィル・リヴィウ州議会議長（得票率二三％）を破って当選し、初代大統領に就任した。この国民投票に関し、ウクライナ生まれのポーランド人ロマン・トゥルスキ氏は次のような話を紹介している。

ソ連時代にウクライナ独立について国民投票が行われたが、その直前に外国に住むウクライナ人の若者達がやってきて、奥地の町や村をも訪れ、独立に賛成せよと、運動してまわった。そして選挙結果は九〇パーセントもの国民が独立に票を投じた。翌日その若者達は一日中、夜どおし、歌い踊り、勝利を祝ったが、好奇の目で見る現地人が「くたびれないのか」と聞くと、「我々だけで踊ってるのではない。先祖の魂も一緒です」と答えたそうだ。（トゥルスキ、畫間勝子著『いくとせ故郷きてみれば』）

すでにバルト三国はソ連を離脱していたが、ウクライナの独立でソ連は事実上解体した。一二月七～八日、ウクライナのクラフチューク、ロシアのエリツィン、ベラルーシのシュシケヴィチの三首脳がベラルーシのミンスク郊外に集まり、ソ連の解体を宣言し「独立国家共同体」（CIS）を結成した。エリツィンはゴルバチョフの権力を奪取するためならソ連解体も厭わなかったという。ゴルバチョフは連邦維持のための最後の巻き返しを図るが、中央アジアの諸共和国がエリツィン側についたため挫折した。二一日カザフスタンのアルマ・アタで一一ヵ国首脳がCIS条約に調印した（アゼルバイジャンは九三年に加盟を批准）。二五日ゴルバチョフは大統領を辞任し、ここに七〇年続いたソ連は名実ともに消滅した。

ウクライナの独立をポーランド、ハンガリーはただちに承認した。ウクライナ移民を多く抱えるカナダも早期に承認している。アメリカは一二月二四日承認した。日本は一二月二八日ウクライナを国家として承認し、翌一九九二年一月二六日外交関係を樹立した。

このウクライナの独立宣言は、二〇世紀になって六回目のものであった。すなわち一九一八年一月、キエフでの中央ラーダの「ウクライナ国民共和国」、同年一一月、リヴィウでの「西ウクライナ国民共和国」、一九一九年一月、キエフでのディレクトリア政府と西ウクライナ政府が合併した「ウクライナ国民共和国」、一九三九年三月、フストでの「カルパト・ウクライナ共和国」、そして一九四一年六月、リヴィウでのOUNによるウクライナ独立宣言に続くものである。しかしこれら以前の独立宣言はいずれも長続きしないか、または最初から長続きする見込みのないことを知りつつ象徴的になされた行為にすぎなかった。それに対して今回の独立は、統治能力をもつ政府を有し、ウクライナ人が居住するほぼ全地域をカバーし、国際的にも承認された上での独立であり、永続する蓋然性《がいぜんせい》をもつ独立である。その意味では壮途半ばに潰えたフメリニツキーのウクライナ独立への夢が三五〇年を経てようやく現実のものとなったわけである。

やっとのことで手に入れた独立は、流血をともなわず、平和裏に行われたものであった。このことはまことに喜ばしいが、他方「棚ぼた」的なところもあった。ウクライナがソ連に残っていればソ連が存続しえたかもしれないという意味からすれば、最後の段階でソ連にとどめを刺す決定的な役割を果たしたといえる。しかし全体的に見れば、ソ連が自ら崩壊していくことに便乗した面が強い。したがってレーニンやピウスツキ、マサリクのような建国の英雄も生まれなかったし、フルシェフスキーやペトリューラのような独立運動を象徴するような人物もいない。また旧体制の中枢にいた者たちが独立派にやすやすと転向したため、旧体制がそのまま独立国家に移行し、看板だけ替わって中身はほとんど変わらない状態となった。これが、何世紀にもわたってウクライナ民族の夢であった独立がやっと達成されたにもかかわらず、「目出度《めでた》さも中くらい」な独立になった理由であろうかと思われる。

ウクライナの将来性

独立後のウクライナは多種多様な問題をかかえて、その歩みは多難である。しかし、それでもってウクライナの重要性が減るわけではない。中・長期的に見れば、ウクライナは大きな潜在力を備えている。本書まえがきでも触れたが、ウクライナの重要性と将来性についてあらためて二点を指摘して本書のまとめとしたい。

第一には、大国になりうる潜在力である。ウクライナは面積ではヨーロッパでロシアに次ぐ第二位であり、人口は五〇〇〇万人でフランスに匹敵する。石油・天然ガス資源こそ十分ではないが、鉄鉱石はヨーロッパ最大規模の産地である。農業については、世界の黒土地帯の三〇%を占める。いずれは「ヨーロッパの穀倉」の地位を取り戻すであろうし、二一世紀に世界で食糧危機が起きるとすれば、それを救う可能性のある国といわれている。耕地面積は日本の全面積に匹敵し、農業国フランスの耕地面積の二倍もある。工業・科学技術面では、かつてはソ連最大の工業地帯であり、それを支える科学者・技術者の水準は高く、層も厚い。国民の教育水準は高く、国民性は堅実で忍耐強い。

またこれは独立後はじめてわかったことだが、外交についてもその能力は高い。ロシアとアメリカの間のバランスを巧みにとってその安全保障を確保している。大国のみでなく、ポーランドなどの中・東欧諸国やカフカス・中央アジア諸国とも友好関係を築くことに成功した。場合によってはリーダーシップをとっている。そしてその外交手法は穏健・協調的で、既存大国がもつ傲岸さはない。このようにウクライナはバランスのとれた総合力を有しており、ゆくゆくは全ヨーロッパ・旧ソ連の中でも大国となる可能性を十分もっている。

第二は地政学的な重要性である。これまで見てきたようにヨーロッパでウクライナほど幾多の民族が通ったところはない。ウクライナは西欧世界とロシア、アジアを結ぶ通路であった。それゆえにこそウクライナは世界の地図を塗り替えた大北方戦争、ナポレオン戦争、クリミア戦争、二次にわたる世界大戦の戦場となり、多くの勢力がウクライナを獲得しようとした。ウクライナがどうなるかによって東西のバランス・オブ・パワーが変わるのである。フランスの作家ブノワ・メシャンは、ウクライナはソ連（当時）にとってもヨーロッパにとっても「決定的に重要な地域のナンバー・ワン（Espace vital No. 1）」といっている。またこの地域はソ連が思いもかけず崩壊して、いまだ安定した国際関係が十分でき上がっていない。その意味でウクライナが独立を維持して安定することは、ヨーロッパ、ひいては世界の平和と安定にとり重要である。これはアメリカや西欧の主要国の認識であるが、中・東欧の諸国にとってはまさに死活の問題である。

ウクライナと日本

最後にウクライナと日本の関係について簡単にまとめておきたい。

早くも日露戦争前の一九〇二年（明治三五年）にオデッサに日本領事館が開設された。領事館の目的が時節柄、政情観察や工作にあったのか、または貿易にあったのかははっきりしない。領事館はその後日露戦争の間やソ連成立後国交のない時代は閉鎖されていたが、一九三四年（昭和九年）まで存続した。領事として飯島亀太郎、佐々木静吾、島田滋、田中文一郎、平田稔が駐在した。両大戦間に日本軍部がウクライナ独立派に関心をもって接触をしたようであるが、すでに触れた以上のことはわからない。

文学面では、帝政ロシア時代クルスク近郊のオブホヴァ村出身のウクライナ人であるヴァシーリー・エロシェンコ（一八八九～一九五二）は、盲目の詩人であったが、一九一四～一六、一九～二一年に東京に滞在し、日本語とエスペラント語で民話、童話を発表した。画家中村彝《つね》（一八八七～一九二四）は傑作『エロシェンコの肖像』（一九二〇年）を描いている。一九〇七年タラス・シェフチェンコの『桜の庭』が日本語に翻訳されている。一九二六年には渋谷《しぶや》定輔《ていすけ》（一九〇五～八九）の詩集『野良に叫ぶ』のなかにシェフチェンコの詩が掲載されている。第二次世界大戦後にはシェフチェンコの詩がいろいろの人たちによって翻訳されている。ウクライナでは戦前から徳永直《すなお》（一八九九～一九五八）、小林多喜二（一九〇三～三三）らの作品がウクライナ語に翻訳されていた。音楽面では、ヘルソン生まれのユダヤ人で指揮者エマヌエル・メッテル（一八八四～一九四五頃）は一九二六年来日し、大阪フィルハーモニーなどの指揮者を長年つとめ、「関西音楽界の父」といわれた。

第二次世界大戦後のソ連時代にもウクライナと日本の間で人的往来、文化交流、貿易、技術協力が行われたが、ソ連との交流の枠内で行われたもので日本側がとくにウクライナを意識したものではなかった。ただ特筆すべきは、一九六五年には横浜市とオデッサ市が、一九七一年には京都市とキエフ市が姉妹都市になった。いずれも港町、古都という共通性からきた提携である。その縁でキエフには「京都通り」がある。また製鉄に関して、ウクライナで発明された連続鋳造法は、ウクライナではなく日本で実用化されて日本を製鉄王国とすることに多大の貢献をした。

日本とウクライナとの本格的な交流が始まったのは、やはり一九九一年にウクライナが独立してからである。一九九三年一月にキエフに在ウクライナ日本大使館が、一九九四年九月には東京に在日本ウクライナ大使館が開設された。一九九五年にはクチマ大統領が訪日した。日本はウクライナの安定がヨーロッパひいては世界の安定にも寄与するとの観点から、クチマ大統領訪日時に一・五億ドルの日本輸出入銀行のアンタイドローン（無拘束借款）および〇・五億ドルの輸出信用を供与した。その後ウクライナに対する日本政府による資金・人道援助も行われるようになった。その中には、チェルノブイリ被災者のための人道援助、同じくチェルノブイリ原発の崩壊を防ぐための援助、小児病院に対する医療援助、ウクライナの核兵器廃棄努力を支援する援助、金融セクター・電力セクターの改革のための技術援助、経済改革のための人材育成の拠点となる「キエフ日本センター」の設立などが含まれる。また民間レベルでもチェルノブイリ被災者のための医療援助等が積極的に行われている。

文化面では、一九九一年に中井和夫教授の『ウクライナ語入門』、一九九八年にI・ボンダレンコ、日野貴夫両氏の『日・ウクライナ、ウクライナ・日語辞典』が発行された。ウクライナの諸大学では日本語学科、日本語講座をもつところも増えてきている。またウクライナでは柔道、空手、合気道等の日本武道が盛んであり、最近剣道も始まった。囲碁、将棋も行われている。日本映画の人気も高い。

経済面では、ウクライナが資金不足にあるため貿易量はまだ少ない。日本はウクライナから主に鉄鋼を、ウクライナは日本から自動車、機械類を輸入している。投資はいまだ少ない。よく知らないことから来るエキゾティックな憧れもあるだろうが、ウクライナ人は日本に対して好意と高い関心をもっている。私はウクライナ在勤時代、ウクライナの人たちに、ウクライナと日本はまったく共通点がないと思っているかもしれないが、そんなことはない、お互いに古い歴史と文化をもち、それを大切に守ってきたこと、とくにコサックと侍は勇気、名誉、潔さなどの共通の価値観をもっており、これが現代にも受け継がれていること、両国とも農業を基礎とした社会であったこと、両国とも石油・天然ガス資源に恵まれていないこと、しかし教育には熱心で教育水準が高いこと、両国が世界で核の悲劇の直接の被害者であったこと、お互いに共通の隣人があり、問題を抱えていること、などがあるといっていたものだ。いずれにせよ、日本とウクライナとの交流はほとんど始まったばかりといってもいい。

ロシア史

倉持俊一『ソ連現代史』第1巻，山川出版社，1980
田中陽兒 他編『ロシア史』全3巻，山川出版社，1994～97
Leroy-Beaulieu, A.: *L'empire des Tsars et les Russes*, R. Laffont, Paris, 1990

森田稔 他『チャイコフスキー』サントリー文化事業部，1990
Kary, M.: *And the Memory of Kamenka?*, Dnipropetrovsk, 1988
Hamm, M. F.: *Kiev: a portrait, 1800-1917*, Princeton University Press, 1995

第六章

芦田均『革命前夜のロシア』文藝春秋新社，1950
ニコライ・オストロフスキー（横田瑞穂 訳）『鋼鉄はいかに鍛えられたか』全2巻，新日本出版社，1962〜63
アレクセイ・トルストイ（金子幸彦 訳）「苦悩の中を行く」『世界の文学』第45・46巻，中央公論社，1967
中井和夫『ソヴェト民族政策史』御茶の水書房，1988
イサーク・バーベリ（江川卓 訳）「騎兵隊」『世界文学全集』第41巻，学習研究社，1979
ミハイル・ブルガーコフ（中田甫・浅川彰三 訳）『白衛軍』群像社，1993

第七章

倉田保雄『ヤルタ会談』ちくまライブラリー，1988
後藤敏雄『シベリア，ウクライナ私の捕虜記』国書刊行会，1985
アルチュール・コント（山口俊章 訳）『ヤルタ会談＝世界の分割』サイマル出版会，1986
エドワード・R・ステチニアス（中野五郎 訳）『ヤルタ会談の秘密』六興出版社，1953
ジョン・L・スネル（遠藤晴久 訳）『ヤルタ会談の意義』桐原書店，1977
ストローブ・タルボット 編（タイムライフブックス編集部 訳）『フルシチョフ回想録』タイムライフインターナショナル，1972
中井和夫『ソヴェト民族政策史』御茶の水書房，1988
中井和夫『ウクライナ・ナショナリズム』東京大学出版会，1998
原暉之『シベリア出兵』筑摩書房，1989
Bethell, N. W.: *The last secret: forcible repatriation to Russia, 1944-7*, Deutsch, London, 1974
Zastavnyi, A.: *Ukrayinsko-Yaponski stosunky naperedodni druhoyi svitovoyi viyny*, Lviv, 1997
Zemlyanichenko, M. & Kalinin, N.: *The Romanovs and the Crimea*, Moscow, 1993

第八章

岡野弁『メッテル先生』リットーミュージック，1995
ロマン・トウルスキ，書間勝子『いくとせ故郷きてみれば』双葉社，1994
中井和夫『ウクライナ・ナショナリズム』東京大学出版会，1998
西谷公明『通貨誕生』都市出版，1994

中村喜和 編訳『ロシア中世物語集』筑摩書房，1970
S・A・プリェートニェヴァ（城田俊 訳）『ハザール謎の帝国』新潮社，1996
Dotsenko, T., Lyabakh, M. & Paramonov, O.: *Kyiv*, 1998

第三章

ハイコ・ハウマン（平田達治・荒島治雅 訳）『東方ユダヤ人の歴史』鳥影社・ロゴス企画部，1999
イラン・ハレヴィ（奥田暁子 訳）『ユダヤ人の歴史』三一書房，1990
プーシキン（川端香男里 訳）「バフチサライの泉」『プーシキン全集』第2巻，河出書房新社，1972
宮崎正勝『ジパング伝説』中公新書，2000
Beauplan: *Description d'Ukranie*, Les Presse de l'Universite d'Ottawa, 1990

第四章

植田樹『コサックのロシア』中央公論新社，2000
ゴーゴリ（原久一郎 訳）『隊長ブーリバ』潮出版社，2000
中井和夫『ソヴェト民族政策史』御茶の水書房，1988
早坂真理『ウクライナ』リブロポート，1994
プロスペル・メリメ（江口清 訳）「ボグダン・フメリニーツキー」『メリメ全集』第5巻，河出書房新社，1978
Krasinski, H.: *The Cossacks of the Ukraine*, London, 1848

第五章

ショラム・アレイヘム（南川貞治 訳）『屋根の上のバイオリン弾き』早川書房，1973
伊藤幸次・私市保彦 訳『バルザック全集』第26巻，東京創元社，1976
岩間徹『プーシキンとデカブリスト』誠文社新光社，1981
ミハイル・ゴルバチョフ（工藤精一郎・鈴木康雄 訳）『ゴルバチョフ回想録』全2巻，新潮社，1996
ゲイル・シーヒー（落合信彦 訳）『世界を変えた男ゴルバチョフ』飛鳥新社，1990
渋谷定輔・村井隆之 編訳『シェフチェンコ詩集』れんが書房新社，1988
シュテファン・ツヴァイク（水野亮 訳）『バルザック』早川書房，1980
レフ・トルストイ（中村白葉 訳）『セヴストーポリ』岩波文庫，1954
アンリ・トロワイヤ（村上香住子 訳）『ゴーゴリ伝』中央公論社，1983
中村喜和『遠景のロシア』彩流社，1996
イサーク・バーベリ（中村唯史 訳）『オデッサ物語』群像社，1995
原暉之『ウラジオストク物語』三省堂，1998
藤井悦子 訳注『シェフチェンコ詩選』大学書林，1993

参考文献

ウクライナ史全般

伊東孝之・井内敏夫・中井和夫 編『ポーランド・ウクライナ・バルト史』山川出版社，1998

Academy of Sciences of the Ukrainian SSR, Institute of History: *A Short History of the Ukraine*, Nauk. dumka, Kiev, 1986

Benoît-Mechin, J.: *Ukraine—Le Fantôme de l'Europe*, Editions du Rocher/Valmonde, 1991

Hrushevsky, M.: *A history of Ukraine*, Archon Books, 1970

Joukovsky, A.: *Histoire de l'Ukraine*, Deuxième Editions, Aux Editions du Dauphin, Paris, 1994

Kubijovic, V.: *Encyclopedia of Ukraine*, Univercity of Toronto Press, 1984

Magocsi P. R.: *A History of Ukraine*, University of Toronto Press, 1996

Nahayewsky, I.: *History of Ukraine*, American Pub. House of the Providence Association of Ukrainian Catholics in America, 1962

Smolyi, V. A.: *All about Ukraine*, Alternatyvy, Kiev, 1998

Subtelny, O.: *Ukraine: a history*, 3rd ed., University of Toronto Press, 2000

第一章

加藤九祚 監修『黄金のシルクロード展』黄金のシルクロード展実行委員会，1998

藤川繁彦 編『中央ユーラシアの考古学』同成社，1999

ヘロドトス（松平千秋 訳）『歴史』全３巻，岩波文庫，1971～72

吉田敦彦「日本神話とスキュタイ神話」『文学』第39巻第11号，岩波書店，1971

吉田敦彦『日本神話の源流』講談社，1976

C・スコット・リトルトン，リンダ・A・マルカー（辺見葉子・吉田瑞穂 訳）『アーサー王伝説の起源』青土社，1998

Reeder, E. D., ed.: *Scythian gold*, H. N. Abrams, New York, 1999

第二章

ジョヴァンニ・カルピニ，ギヨーム・ルブルク（護雅夫 訳）『中央アジア・蒙古旅行記』桃源社，1979

国本哲男 他訳『ロシア原初年代記』名古屋大学出版会，1987

グウィン・ジョーンズ（笹田公明 訳）『ヴァイキングの歴史』恒文社，1987

1956	**2月**UPAに関する最後の情報.
1959	OUNの指導者バンデラ，西ドイツで暗殺される.
1964	フルシチョフ失脚，ブレジネフ時代の始まり.
1972	ウクライナ共産党第一書記シェレスト失脚，シチェルビツキーに替わる.
1975	ヘルシンキ宣言.
1976	キエフで「ウクライナ・ヘルシンキ・グループ」結成.
1985	ゴルバチョフ，ソ連共産党書記長に就任.
1986	**4月**チェルノブイリ原発事故.
1989	**9月**シチェルビツキー失脚.「ルーフ」結成. **10月**ウクライナ言語法，ウクライナ語が国語となる. **11月**ユニエイト，合法化される.
1990	**1月**リヴィウとキエフを結ぶ「人間の鎖」. **3月**ウクライナ最高会議議員選挙. **7月16日**ウクライナの主権宣言. **23日**クラフチューク，最高会議議長就任.
1991	**3月**ゴルバチョフの新連邦条約に対する国民投票. **8月19〜22日**ソ連のクーデター. **24日**ウクライナ独立宣言. **12月1日**独立の是非を問う国民投票，大統領選挙. クラフチューク，初代大統領に就任. **8日**ロシア・ウクライナ・ベラルーシの3首脳がミンスクでソ連解体と「独立国家共同体」(CIS) 結成を決める. **21日**アルマ・アタで11カ国首脳がCIS条約に調印. **25日**ゴルバチョフ，ソ連大統領辞任. ソ連消滅.
1992	ウクライナ，ルーブル圏より離脱し，クーポン券カルボヴァーネツを暫定的な通貨として発行.
1993	キエフに日本大使館開設.
1994	第2回大統領選挙でクチマ当選.
1995	クチマ大統領訪日.
1996	**6月**新憲法制定. ロシア，ウクライナから核兵器撤去を完了. **9月**新通貨フリヴニャ導入.
1997	ロシアとの友好協力条約締結.
1999	クチマ大統領再選.

	トリューラ連合軍，キエフ占領．**6月**ボリシェヴィキ，キエフ奪還．**7〜8月**ボリシェヴィキ，ウクライナの大部分を占領．**8月**「ウクライナ軍事組織」（UVO）結成．**10月**ポーランドとロシアが和平．**11月**ウランゲリの白軍，クリミアから駆逐される．
1920〜21	飢饉起きる．
1921	**3月**新経済政策（ネップ）始まる．**8月**ボリシェヴィキ，マフノ軍を殲滅．ボリシェヴィキは年内に内乱を鎮圧．
1922	**12月**ソヴィエト連邦成立．
1923	ウクライナ化政策開始．
1924	レーニン死去．
1926	ペトリューラ，パリで暗殺される．
1927	スターリン，権力掌握．
1928〜32	第1次5カ年計画．
1928	農業集団化開始．
1929	ウィーンで「ウクライナ民族主義者組織」（OUN）結成．
1930	ウクライナ独立正教会，解散を命じられる．
1932〜33	大飢饉．
1932頃	ウクライナでの粛清始まる．
1934	首都がハルキフからキエフに替わる．
1936〜38	全ソ連的な大粛清．
1938	**1月**フルシチョフ，ウクライナ共産党第一書記になる．**5月**OUNの指導者コノヴァレツ，ロッテルダムで暗殺される．**9月**ミュンヘン会談．**10月**チェコ・スロヴァキア連邦内で「カルパト・ウクライナ」が自治州となる．
1939	**3月**カルパト・ウクライナ，独立宣言するも崩壊．**8月**独ソ不可侵条約調印．**9月**第2次世界大戦勃発．**9〜11月**ソ連，西ウクライナ占領．
1940	**6月**ソ連，北ブコヴィナとベッサラビア占領．
1941	**6月**ドイツ，ソ連を攻撃し，独ソ戦争が始まる．OUN，リヴィウで独立宣言．**夏**「ウクライナ蜂起軍」（UPA）設立．**9月**バービ・ヤールのユダヤ人虐殺．**11月**ドイツ，全ウクライナ占領．
1943	**1月**スターリングラードの戦い．**11月**ソ連，キエフ回復．
1944	**10月**ソ連軍，全ウクライナ占領．
1945	**2月**ヤルタ会談．**5月**ドイツ軍の降伏によりヨーロッパにおける戦争終結．
1946	飢饉．
1950	UPAのシュヘーヴィチ司令官戦死．
1953	スターリン死去．
1954	クリミアがウクライナに移管される．

1834	キエフ大学設立.
1840	タラス・シェフチェンコの詩集『コブザーリ』刊行.
1848	オーストリア帝国内での民族主義の高揚（諸国民の春）. オーストリア帝国，農奴制廃止.
1853～56	クリミア戦争.
1861	ロシアで農奴解放令.
1863	ロシアのヴァルエフ内相によるウクライナ語抑圧政策.
1865	ウクライナ最初の鉄道（オデッサ・バルタ間）開通.
1876	ロシアの「エムス指令」によるウクライナ語の禁止.
1890	はじめてウクライナの独立・統一を標榜する「ウクライナ急進党」結成.
1900	ロシア治下のウクライナ最初の政党「革命ウクライナ党」（RUP）結成.
1902	オデッサに日本領事館開設（～1934）.
1905	ロシア，第1次革命（血の日曜日事件）.
1906	ロシア，第1回ドゥーマ開催.
1914～18	第1次世界大戦.
1914～15	ロシア，ハーリチナとブコヴィナ占領.
1917	**2月**ロシア二月革命. **3月**ウクライナ中央ラーダ結成. **6月**第1次ウニヴェルサルによるウクライナ自治宣言. **10月**ロシア十月革命. **11月**「ウクライナ国民共和国」の宣言. **12月**ハルキフで「ウクライナ・ソヴィエト共和国」樹立. ボリシェヴィキ軍，ウクライナ進撃.
1918	**1月**中央ラーダ，ウクライナの完全独立を宣言. **2月**ロシアとは別個にブレスト・リトウスク条約を結ぶ. ボリシェヴィキ，キエフ奪取. 中央ラーダ政府，ジトーミルに撤退. **3月**ドイツ・ウクライナ軍，キエフ占領. **4月**フルシェフスキー，ウクライナ国民共和国大統領に選出される. 中央ラーダ消滅.「ヘトマン国家」の樹立. **11月**第1次世界大戦終結.「西ウクライナ国民共和国」の樹立. **12月**ヘトマン国家崩壊，ディレクトリア政府，キエフにウクライナ国民共和国を復活. フランス軍，南西ウクライナ占領.
1919	**1月**東西のウクライナ共和国の合同. **2月**ディレクトリア政府，キエフから撤退. **4月**フランス軍，ウクライナから撤退. **8月**デニキン軍，キエフ占領. サンジェルマン条約，ブコヴィナはルーマニア領，ザカルパチアはチェコ・スロヴァキア領となる. **10月**チフス大流行によりウクライナ軍壊滅.
1920	**2月**デニキン軍，ボリシェヴィキによりウクライナから駆逐される. **4月**ペトリューラ，ポーランドと同盟条約を結ぶ. **5月**「ウクライナ独立正教会」設立. ポーランド・ペ

	リミア汗国はオスマン・トルコに臣従.
1480	モスクワ公国,「タタールのくびき」より脱する.
1492	ウクライナ・コサックの呼称がはじめてクリミア汗の書簡に現れる.
1502	キプチャク汗国の滅亡.
1530頃	ウクライナ・コサック,ザポロージェ・シーチを建設.
1569	ルブリンの合同,ウクライナの大部分がポーランド領となる.
1572	コサックの登録制始まる.
1596	ブレストの合同,ユニエイト(ギリシア・カトリック)が生まれる.
17世紀初め	コサックのトルコ遠征が盛んに行われる.
1614	サハイダチニー,ヘトマン就任(～1622).
1632	キエフのペチェルスク修道院長モヒラ,「キエフ・モヒラ・アカデミー」創設.
1648	フメリニツキー,ヘトマン就任(～1657).
1654	ペレヤスラフ協定,ヘトマン国家はモスクワの保護を受ける.
1660	ボープランの『ウクライナ誌』刊行.
1667	アンドルソヴォ条約,ドニエプル右岸はポーランド,左岸はモスクワの主権を相互承認.
1686	ポーランド,モスクワによるザポロージェの単独宗主権を承認.
1687	マゼッパ,ヘトマン就任(～1709).
1700	ポーランド,右岸のコサックを廃止.
1709	ポルタヴァの会戦.
1764	ヘトマン職廃止,「小ロシア参議会」設置.
1765	エカテリーナ2世,スロボダ・ウクライナの自治を廃止.
1774	ロシア・トルコ間でクチュク・カイナルジ条約締結,オーストリアはトルコよりブコヴィナ獲得.
1775	エカテリーナ2世,ザポロージェ・コサックを廃止.
1776～	ウクライナ南部にカテリノスラフ(1776),ヘルソン(1778),オデッサ(1794)などの諸都市が建設される.
1783	クリミア汗国の滅亡.コサックの連隊制度廃止され,ヘトマン国家の終焉.
1795	第3次ポーランド分割,ウクライナはロシア・オーストリアに分割される.
1798	ウクライナ語最初の文学作品『エネイーダ』刊行.
1805	ハルキフにロシア帝国下ウクライナ最初の大学設立.
1812	ナポレオンのロシア侵入.
1825	デカブリストの乱.

ウクライナ略年表

（キエフ・ルーシ時代までの年代は史書により異同がある）

前1500～前700	キンメリア人，黒海沿岸に居住．
前750～前700	スキタイ人，黒海沿岸に進出．キンメリア人を駆逐．
前７世紀～	黒海北岸にギリシア植民都市建設．
前514頃	ペルシアのダリウス大王，スキタイ遠征．
前５世紀前半	ボスポロス王国成立．
前４世紀頃	スキタイ全盛時代．
前２世紀	サルマタイ人，ドニエプル川流域からスキタイ人を駆逐．スキタイはクリミア半島に閉じ込められる．
前63	ローマ，ボスポロス王国を滅ぼす．
３世紀	サルマタイ人滅ぶ．
３世紀半ば	ゴート族によりクリミアのスキタイ滅亡．
４世紀後半	フン族の侵入．
６世紀半ば	アヴァール族の侵入．ビザンツ帝国のユスティニアヌス大帝の下に黒海北岸でビザンツ文化が栄える．
６世紀後半？	キー兄弟のキエフ建設．
６世紀末	ブルガール族の侵入．
７世紀初め	スラヴ人，ウクライナの地に広がる．
７世紀半ば	ハザール可汗国成立（９世紀半ばに最盛期）．
862	リューリク，ノヴゴロドの公になる．
978～1015	キエフ大公ヴォロディーミル（聖公）の治世．
988	キリスト教が国教となる．
1019～1054	キエフ大公ヤロスラフ（賢公）の治世．
1187	ウクライナの呼称がはじめて『キエフ年代記』の記述に現れる．
1199	ロマン公，ハーリチ，ヴォルイニ両公国を合併．
1223	カルカ川の戦い，モンゴル，ルーシ連合軍を破る．
1240	モンゴル，キエフ攻略．
13世紀半ば	ミンダウガス公の下にリトアニア統一．
1299	キエフ府主教，住居をウラジーミルに移す．
1326	正教の府主教座が最終的にモスクワに移る．
1340年代	ハーリチ，ヴォルイニがそれぞれポーランド，リトアニアに併合される．
14世紀後半	リトアニア，キエフを含むウクライナの大半を領有．
1385	クレヴォの合同．
1386	リトアニア大公ヨガイラ，ポーランド女王ヤドヴィガと結婚．
1475	オスマン・トルコ，クリミア半島南部を支配下に置き，ク

黒川祐次（くろかわ・ゆうじ）

1944年（昭和19年），愛知県に生まれる．
東京大学教養学部卒業．外務省入省後，在モントリオール総領事，駐ウクライナ大使・モルドバ大使（兼務），衆議院外務調査室長，駐コートジボワール大使，駐ベナン・ブルキナファソ・ニジェール・トーゴー大使（兼任），日本大学国際関係学部教授などを歴任．2004年12月のウクライナ大統領選挙の際には日本監視団団長を務めた．

物語《ものがたり》 ウクライナの歴史《れきし》
中公新書 *1655*

2002年 8 月25日初版
2022年 4 月25日14版

著　者　黒 川 祐 次
発行者　松 田 陽 三

本 文 印 刷　三 晃 印 刷
カバー印刷　大熊整美堂
製　　　本　小 泉 製 本

発行所　中央公論新社
〒100-8152
東京都千代田区大手町 1-7-1
電話　販売 03-5299-1730
　　　編集 03-5299-1830
URL https://www.chuko.co.jp/

Published by CHUOKORON-SHINSHA, INC.
Printed in Japan ISBN978-4-12-101655-3 C1222

中公新書

世界史